# ALEGRIA E TRIUNFO

LOURENÇO PRADO
*Rosabis Camaysar*

# ALEGRIA E TRIUNFO

**Editora
Pensamento**
SÃO PAULO

Copyright © 1956 Editora Pensamento-Cultrix Ltda.

Texto de acordo com as novas regras ortográficas da língua portuguesa.

89ª edição revista 2013.

6ª reimpressão 2024.

Todos os direitos reservados. Nenhuma parte deste livro pode ser reproduzida ou usada de qualquer forma ou por qualquer meio, eletrônico ou mecânico, inclusive fotocópias, gravações ou sistema de armazenamento em banco de dados, sem permissão por escrito, exceto nos casos de trechos curtos em resenhas críticas ou artigos de revistas.

A Editora Pensamento não se responsabiliza por eventuais mudanças ocorridas nos endereços convencionais ou eletrônicos citados neste livro.

CIP-BRASIL - CATALOGAÇÃO NA PUBLICAÇÃO
SINDICATO NACIONAL DOS EDITORES DE LIVROS, RJ

p915a
89. ed.

Prado, Lourenço (Rosabis Camaysar), 1893-1945
   Alegria e triunfo / Lourenço Prado. - 89. ed. - São Paulo : Pensamento, 2013.
   152 p.

1. Técnicas de autoajuda 2. Ocultismo I. Título.
ISBN 978-85-315-0006-0

13-02650
CDD: 158.1
CDU: 159.947

Direitos reservados.
EDITORA PENSAMENTO-CULTRIX LTDA.
Rua Dr. Mário Vicente, 368 — 04270-000 — São Paulo, SP
Fone: (11) 2066-9000
E-mail: atendimento@editorapensamento.com.br
http://www.editorapensamento.com.br
Foi feito o depósito legal.

# ÍNDICE

PREFÁCIO ................................................. 7

INTRODUÇÃO ........................................... 9

CAPÍTULO
   I — A Vida é um Jogo ................................. 13
   II — A Lei da Prosperidade ........................... 21
   III — O Poder da Palavra ............................. 31
   IV — A Lei da Não resistência ....................... 43
   V — A Lei do Carma e a Lei do Perdão ............. 59
   VI — Para Transferirdes Vosso Fardo ................ 73
   VII — O Amor .......................................... 85
   VIII — A Direção Intuitiva ............................ 97
   IX — O Plano Divino de Vossa Existência .......... 109
   X — A Felicidade ..................................... 121
   XI — Assuntos Financeiros ........................... 129
   XII — Afirmações e Negações ........................ 135
        Modelos para Afirmações ...................... 145

# Prefácio

Compreendendo a grande utilidade desta obra para os afeiçoados da mais pura doutrina esotérica, ensinada pelos grandes Mestres do antigo Egito, e apreciando o seu valor prático para os que aspiram à realização da Verdade em suas próprias consciências, a Editora Pensamento-Cultrix Ltda. resolveu imprimi-la e apresentá-la aos seus queridos leitores.

Apesar da sua aparência religiosa, é uma obra altamente científica e baseada nos elementos essenciais da organização psicológica do ente humano.

Uma análise sutil dos princípios da manifestação da Vida, desde o mais alto plano até o plano físico, levou à coordenação das regras e práticas aqui expostas, as quais se acham mais ou menos indicadas em todos os sistemas filosóficos e religiosos do mundo.

Entretanto, em nenhum lugar esses princípios foram expressos de um modo mais claro, incisivo e prático do que na Bíblia, a qual parte da premissa de que, sendo o homem feito à "imagem e semelhança" de Deus, tem os mesmos atributos criadores que a divindade e pode manifestá-los no âmbito do seu mundo, criando conscientemente as suas condições de existência terrestre.

*Da mesma forma que Deus criou o mundo pelo Pensamento e pela Palavra, pode o homem criar o seu mundo como lhe aprouver, pelo seu pensamento e pela sua palavra.*

*Seguindo os passos de investigadores anteriores nesta direção, o autor chegou à conclusão de que essa afirmação bíblica era uma realidade prática muito mais importante do que a maioria dos processos geralmente ensinados para o desenvolvimento consciente dos poderes espirituais.*

*Os leitores que tiverem aprofundado os princípios herméticos do Caibalion e os ensinamentos ocultos da Luz no Caminho verão surgir-lhes na consciência uma grande luz sobre os pontos que nestas obras lhes haviam ficado obscuros ou que, mesmo que lhes parecessem claros ao intelecto, não pareciam ter ligação alguma com a vida prática do homem comum.*

*Assim, esta obra oferece aos experimentadores da Verdade o ponto de ligação entre o ideal e o material, o elo que une o espírito e a matéria e permite a passagem rápida da substância para a forma.*

*Os numerosos exemplos citados facilitam a compreensão das regras e permitem orientar os esforços, até a realização final do objetivo visado.*

*Com a publicação desta obra, a Editora espera ter ajudado consideravelmente para a felicidade e o bem-estar dos seus numerosos leitores, muitos dos quais já terão sentido a necessidade de um volume semelhante para orientar os seus esforços na aplicação de suas forças secretas.*

*Desejando-lhes, pois, do fundo d'alma o máximo proveito do presente volume, temos o prazer de enviar-lhes os nossos mais sinceros sentimentos de paz e felicidade.*

A EDITORA

# Introdução

Ao lerdes os ensinamentos expostos nos capítulos seguintes, encontrareis, sob um aspecto um tanto diverso, os mesmos princípios apresentados em minhas obras anteriores; isso talvez vos deixará a impressão de que bastará uma leitura ligeira para assimilardes os ensinos e incorporá-los ao vosso cabedal de conhecimentos.

Porém, eu vos afirmo que, se tiverdes um interesse real em vos fazerdes *melhores, mais fortes, mais felizes e mais eficientes, fareis deste livro* uma espécie de *consultor diário* para orientação de vossas ideias na diretriz da melhor solução para os vossos problemas.

A base essencial da doutrina que vos apresento nas minhas obras é a seguinte: — *Sois feitos à imagem e semelhança de Deus, de Quem o vosso Eu Real é um centro de expressão e a vossa entidade física uma concretização formal.*

Como centro de expressão do Infinito, possuís todas as qualidades de Suprema Vida e Inteligência Universal, porém tendes de desenvolver em vós a *consciência* dessas qualidades e poderes para que possam receber a concretização formal pela ação de vosso pensamento sobre a substância universal.

Os dois pontos de vossa maior semelhança com Deus, sob o aspecto de Criador, são o Pensamento e a Palavra, e é para a aplicação desses vossos poderes na vida diária que aqui apelo.

Está comprovado pela Ciência Mental que o vosso pensamento cria a forma mental do objeto e a vossa palavra faz reunir ao redor daquela a substância necessária para a concretização do mesmo.

O objetivo dos capítulos que seguem é orientar-vos sobre a direção que deveis dar aos vossos pensamentos e palavras, a fim de que possam produzir exteriormente o ideal existente em vosso interior.

Os exemplos citados para facilitar a vossa compreensão e para convencer-vos de que se trata das leis reais da vida são *fatos* verdadeiros, apresentados por pessoas fidedignas e, muitas vezes, comprovados pessoalmente por mim em casos semelhantes, sucedidos a pessoas que se conformaram com as regras indicadas.

À proporção que obtiverdes os resultados, ireis compreendendo melhor as Leis que os regem e assim a vossa razão ficará satisfeita com os motivos de vossa fé.

É comum aos que procuram seguir a doutrina do Mentalismo se queixarem de influências mentais estranhas, e sem dúvida essas influências existem, porém o fato mais importante é que podeis libertar-vos totalmente de qualquer ação mental perturbadora, pelo vosso contato com o Poder Supremo. *Não há outro meio* de sairdes de semelhantes condições, embora possa alguém ajudar-vos momentaneamente nesse sentido.

Se alguém pode exercer alguma influência perturbadora sobre vós é porque o atraíste para a vossa esfera de ação, quer por simpatia, quer por antipatia, e enquanto não tiverdes entrado num acordo de mútua libertação voluntária, continuareis acorrentados um ao outro. Essa combinação, porém, só pode ser efetuada no Plano Espiritual, em que os dois Egos possuem um conhecimento perfeito de suas verdadeiras relações mútuas. Os princípios expostos se destinam a confirmar os vossos atos e palavras com o ideal que desejardes manifestar, desviando-vos dos erros que geralmente cercam toda mentalidade estreita.

Devo chamar a vossa atenção para um ponto muito importante da Lei de Manifestação, o qual é sempre desleixado por aqueles que pedem auxílio mental ao Círculo Esotérico ou a outros irmãos. Certos indivíduos pretendem ser auxiliados sem se colocarem em condições de receber, por meio de seu próprio pedido e aperfeiçoamento de suas qualidades. Querem receber sem observar a Lei pela qual isso é possível. Encomendam aos outros preces para determinado fim e julgam que assim poderão receber. Porém, a Lei da absoluta justiça impede que assim suceda.

Quando receberam, aqueles que obtiveram resultados por essa forma não fizeram mais do que aplicar as forças psíquicas, e os proveitos assim conseguidos estão sujeitos a terríveis reações, chamadas choques de retorno.

Portanto, se vos conformardes com a Lei e pedirdes a Deus a *abundância* e a *felicidade* que Ele reservou para vós desde o momento em que vos criou, ficareis plenamente satisfeitos, e os benefícios recebidos serão perduráveis, porque, provindo diretamente da Causa Primeira, estarão livres de interferências de Causas Segundas... *Serão essencialmente vossos.*

Parecer-vos-á excessivamente elevado semelhante ideal para aspirardes a ele?

Os exemplos citados no decorrer desta obra vos mostrarão que pessoas comuns como vós e eu obtiveram os mais extraordinários resultados, sem fazerem alteração notável no seu plano aparente de vida. Não lhes foi necessário transportarem-se para as selvas ou as regiões puras do Himalaia, não se entregaram a regimes alimentares exóticos, nem a exercícios enervantes, mas apenas *agiram na confiança absoluta da Divina Presença neles e nos que os rodeavam, obedecendo fielmente à Suprema Direção interior.*

Tal é, pois, o plano de vida que vos proponho nas páginas que se seguem.

Experimentai-o por vós mesmos!

## CAPÍTULO I

# A Vida é um Jogo

> Eles (os Mestres) ajudam no *desempenho do jogo* da vida, não se deixando mover, como peças de jogo, pela vontade dos outros ou pelo ambiente.
>
> O *Caibalion*

É comum considerar-se a vida uma luta, porém para os sábios hermetistas, ela é mais um jogo que uma luta.

Entretanto, para que o indivíduo possa sair vencedor nesse jogo, é preciso que conheça as regras de sua execução expostas com admirável clareza na Bíblia.

Jesus Cristo vos ensinou que é um grande jogo de *dar e receber*. Diz S. Paulo, em sua Epístola aos Gálatas, cap. 6, versículo 7: "Pois aquilo que o homem semear, isso também ceifará". Com estas palavras, o apóstolo queria dizer que aquilo que expressardes em vossas palavras e atos vos voltará; que recebereis o que derdes. Se derdes ódio, recebereis ódio, se derdes amor, recebereis amor; se criticardes, sereis criticados; se mentirdes, vos mentirão; se iludirdes, vos iludirão. Os mestres cabalistas ensinam também que a vossa faculdade imaginativa desempenha um papel importante no jogo de vossa vida.

Diz um deles nos seus *Provérbios*, cap. 4, versículo 23: "Guarda com toda diligência o teu coração" (ou imaginação). De fato, tudo aquilo que imaginardes, cedo ou tarde se expressará em vossos negócios.

Conheci um homem que temia certa moléstia rara e difícil de adquirir-se, porém ele a formou tanto tempo em sua mente, lendo o que fora escrito sobre ela, que a mesma se manifestou em seu corpo, destruiu-o, vitimando-o pela sua imaginação desorientada.

Assim, pois, para jogardes com êxito a partida da vida, é preciso educardes vossa faculdade imaginativa. Se tiverdes vossa faculdade imaginativa educada para imaginar somente o bem, realizareis em vossa vida "todo desejo justo de vosso coração": saúde, riqueza, amor, amigos, expressão perfeita de vós mesmos, enfim, vossos ideais mais elevados.

A imaginação foi apelidada a *tesoura da mente,* pois está sempre cortando, cortando, cortando, dia e noite, as figuras que vedes nela e, mais cedo ou mais tarde, encontrareis no mundo as suas criações. Para educardes com proveito a vossa imaginação, deveis adquirir conhecimento de vossa mente. Disseram os gregos: "Conhece-te a ti mesmo". Vossa mente é constituída de três departamentos: o *subconsciente,* o *consciente* e o *superconsciente.*

O *subconsciente* é simplesmente uma força sem direção. É semelhante ao vapor e à eletricidade, que executam mais coisas de acordo com a direção recebida, não tendo força intuitiva. Aquilo que sentis profundamente em vosso íntimo, ou imaginais com clareza, é impresso em vosso subconsciente e executado em todos os seus detalhes. Por exemplo, conheço uma senhora que, quando criança, gostava muito de *fingir* que era viúva. Vestia-se de luto e cobria-se com grande véu preto, fazendo as pessoas amigas julgarem-na muito inteligente e divertida. Cresceu e casou-se com um homem a quem muito amava. Porém, pouco tempo depois, o marido faleceu e ela pôs luto e véu por muitos anos. A imagem mental que fizera de si mesma como viúva ficara impressa em sua mente subconsciente e manifestara-se no tempo conveniente, causando-lhe grande infelicidade.

A mente *consciente* foi denominada, pelos psicólogos antigos, mente moral ou carnal. Ela é a vossa mente exterior e vê a vida apenas como *parece ser*. Vê a morte, o desastre, a moléstia, a pobreza e toda espécie de limitação e grava as imagens dessas coisas no subconsciente.

A vossa mente *superconsciente* é a Mente Divina manifestada em vós, sendo também a região das ideias perfeitas. Nela se encontra o "modelo perfeito" de que fala Platão, o *Esboço Divino*, pois para cada um de vós existe um *Esboço Divino*.

Como diz um mestre de esoterismo: *Existe um lugar que deveis ocupar e ninguém mais pode ocupá-lo, alguma coisa que tereis de fazer e ninguém mais pode fazer*. Na vossa mente superconsciente existe um desenho perfeito do plano de vossa vida. Talvez tenha atravessado a vossa consciência como um ideal inatingível — alguma coisa tão boa que vos tivesse parecido impossível de ser real.

Na verdade, ele é o vosso verdadeiro destino, a vossa predestinação comunicada à vossa consciência num clarão momentâneo pela Inteligência Infinita que reside *dentro de vós*.

Todavia, é possível que ignoreis o vosso verdadeiro destino e luteis para alcançardes coisas e posições que não vos pertencem, e que, se fossem conseguidas, só vos trariam insucessos e descontentamento. Por exemplo, uma esoterista americana refere o seguinte:

"Uma senhora se dirigiu a mim e pediu-me para que *afirmasse* que ela se casaria com um homem por quem estava muito apaixonada. (Ela o designou por A. B.) Respondi-lhe que isso seria violação da lei espiritual, e que eu faria a afirmação somente em relação ao homem conveniente, ao 'escolhido divino', o homem que lhe pertencia por direito ou determinação divina.

"Acrescentei, em seguida: 'Se A. B. for o homem conveniente, não podereis perdê-lo; porém, se o não for, recebereis o seu equivalente'.

"Ela via frequentemente A. B., porém nada concorreu para aproximá-los. Uma noite, veio visitar-me e disse-me: 'Devo dizer-vos que, na última semana, A. B. não me parece mais tão atraente'. Respondi-lhe: 'Talvez ele não seja o escolhido divino — talvez seja outro o homem que vos convenha'.

"Logo depois ela encontrou outro homem que se lhe afeiçoou imediatamente, declarando-lhe que ela era o seu ideal. Enfim, disse-lhe tudo o que ela tanto tinha almejado ouvir da parte de A. B.

"Quando me relatou o acontecimento, estava tão satisfeita que exclamou: 'Foi uma coisa inteiramente inesperada!' Em pouco tempo, sentiu tanta atração por ele que perdeu todo interesse por A. B."

Este fato mostra a existência de uma lei de substituição, por meio da qual uma ideia errônea foi substituída por uma ideia justa, não havendo, pois, prejuízo ou sacrifício.

Jesus Cristo disse: "Procurai primeiramente o Reino de Deus e Sua Justiça, e todas as coisas vos serão acrescentadas", e indicou ainda: "O Reino de Deus *está dentro* de vós". Esse reino é a região das *ideias justas* ou do modelo divino. Ele ensinou que as vossas palavras representam um papel importante no jogo de vossa vida, expressando-se assim: "Pelas vossas palavras sereis justificados e pelas vossas palavras sereis condenados".

Muitas pessoas produziram desastres em sua existência por terem proferido palavras vãs.

Certa mulher perguntou-me um dia por que é que ela passava uma existência de pobreza e limitação, quando anteriormente possuíra seu lar e vivera rodeada de conforto e abundância. Analisando sua atitude mental, descobrimos que, outrora, quando se achava cansada de dirigir sua casa, costumava dizer repetidas vezes: "Sinto-me cansada de ter tanta coisa. Desejaria viver dentro de uma mala". Referindo ao seu estado atual, acrescentou: "De fato, hoje estou vivendo em uma mala".

Pela sua palavra, fora parar em uma mala, ou casebre isolado. *Com efeito, a mente subconsciente não tem sentido humorístico, e as pessoas, pelos seus gracejos, muitas vezes atraem experiências desagradáveis.*

Relata-se, por exemplo, que uma senhora muito rica falava continuamente em "preparar-se para a casa dos pobres".

Efetivamente, dentro de poucos anos, ficou sem nada, pois seu subconsciente se havia impressionado com imagens de miséria e limitação.

Felizmente, esta lei *atua tanto numa direção como em outra*, uma situação de necessidade podendo ser mudada para outra de abundância.

O seguinte exemplo, citado por uma esoterista americana, ilustra essa aplicação da lei. Diz ela:

"Certa senhora se dirigiu a mim num cálido dia de verão, pedindo que fizesse um tratamento para sua prosperidade. Ela estava triste, abatida e desanimada, e disse-me que possuía apenas oito dólares. Respondi-lhe: 'Abençoaremos os oito dólares, e os multiplicaremos como Jesus Cristo multiplicou os *pães e os peixes*, pois Ele ensinou que o *homem* tem o poder de abençoar e multiplicar, amar e prosperar'.

"Perguntou-me ela: 'Que devo fazer agora?'

"Respondi-lhe: 'Seguir a intuição. Tendes *ideias de* fazer alguma coisa ou ir algures?'"

A intuição é um ensino recebido do íntimo, é uma voz interna. É um guia infalível do indivíduo e tratarei melhor de suas leis num capítulo posterior.

Prossegue a narradora:

"A mulher respondeu-me: 'Não sei... Parece-me ter *a ideia* de voltar para minha terra; tenho o dinheiro justo para pagar a passagem'.

"Acrescentei ainda as seguintes palavras: '*Espírito Infinito, abri o caminho de maior abundância para... Ela é um ímã irresistível para tudo o que lhe pertence por direito divino*'.

"Aconselhei-a também que repetisse continuamente essas palavras. Ela partiu imediatamente. Algum tempo depois, procurando outra mulher conhecida, encontrou um antigo amigo de sua família. Por meio desse homem recebeu milhares de dólares de um modo deveras extraordinário. Disse-me muitas vezes: 'Relatai amiúde o caso da mulher que se dirigiu a vós tendo apenas oito dólares e uma ideia'".

A *abundância* existe sempre em vosso *caminho*; porém, só podereis *levá-la à manifestação* pelo vosso desejo, fé ou palavra expressa.

Jesus Cristo explicou claramente que sois vós que deveis fazer o *primeiro movimento*. Assim é que encontramos em Mateus, cap. 7, versículo 7: "*Pedi* e vos será dado; *procurai* e achareis; *batei* e abrir-se-vos-á".

Lemos em Isaías: "Comandai-me... acerca das obras de minhas mãos".

A Inteligência Infinita, Deus, está sempre pronta a executar os vossos menores e maiores pedidos. Todo desejo vosso, manifestado ou não, *é uma prece*, e muitas vezes ficais admirados ao verdes um desejo realizado inesperadamente.

Assim é que uma senhora refere o seguinte:

"Uma ocasião, na Páscoa, tendo visto belas roseiras na vitrina de uma casa de flores, desejei receber uma e, por momentos, vi-a *mentalmente* transportada em minha casa. Veio a Páscoa e, com ela, uma bela roseira. No dia seguinte, fui agradecê-la à amiga de quem a recebera e disse-lhe que era justamente o que precisava. Ela respondeu: 'Não vos mandei uma roseira, mas sim lírios.' O vendedor se enganara na encomenda e me havia mandado uma roseira, simplesmente porque pus em atividade a lei e *tinha de possuir uma roseira*".

Nada se interpõe entre vós e vossos ideais superiores ou todo desejo de vosso coração, senão a dúvida e o medo. Quando conseguires *"desejar sem aflição"*, todo desejo vosso será instantaneamente realizado.

Num capítulo seguinte, explicarei melhor a razão científica desse fato e também o motivo para arrancardes completamente de vossa consciência o medo. Ele é o único inimigo que tendes — o medo da pobreza, do insucesso, da moléstia, do prejuízo — juntamente com o sentimento de *insegurança em algum plano*.

Disse Jesus Cristo: "Por que temeis, homens de pouca fé?"

Podeis ver que é necessário substituirdes a fé ao temor, pois o medo não é mais que uma fé inversa; é *a fé no mal* ao invés de ser no bem.

O objeto do Jogo da Vida é levar-vos a verdes com clareza o vosso *bem próprio* e a *apagardes as pinturas mentais do mal*.

Deveis fazê-lo, imprimindo em vossa mente subconsciente a ideia firme de realizardes o bem. Um homem notável e que alcançou grande triunfo disse-me que arrancou repentinamente de sua consciência todo medo, pela leitura de um cartaz que se encontrava numa sala. Vira escrito em grandes caracteres: *"Por que afligir-se? Provavelmente isso nunca acontecerá"*. Essas palavras ficaram indelevelmente impressas em sua mente subconsciente, e ele adquiriu a firme convicção de que só o bem podia apresentar-se em sua vida e, portanto, só o *bem podia manifestar-se*.

No próximo capítulo tratarei dos diferentes métodos para gravardes as coisas na vossa mente subconsciente. Ela é uma serva fiel, porém é preciso terdes cuidado em dar-lhe ordens certas. Tendes sempre um ouvinte silencioso ao vosso lado: é a vossa mente subconsciente.

Todo pensamento, toda palavra vossa é impressa nela e executada com notável exatidão.

Sois como o cantor que registra sua voz no disco sensível do fonógrafo. Todos os tons e notas de sua voz são registrados. Se ele tossir ou hesitar isso também será registrado.

Por conseguinte, deveis romper todos os antigos maus registros de vossa mente subconsciente, os registros das coisas que não desejais conservar e *fazer outros que sejam novos e belos*.

Os maus registros de vosso subconsciente são os pensamentos de medo, desânimo, ressentimento, ódio e ansiedade.

Dizei em voz alta, com energia e convicção, as seguintes palavras: "Destruo e apago (pela minha palavra expressa) todo mau registro de minha mente subconsciente. Voltarão ao pó do seu nada original, pois resultam de minhas vãs imaginações. Formo agora os meus registros perfeitos por meio de meu Cristo interno — os registros de *Saúde, Riqueza, Amor e perfeita expressão própria*".

Tal é o mais alto grau de vida, o jogo perfeito e completo.

Como dizem os *Provérbios*: "A Morte e a Vida estão no poder da língua".

Portanto, afirmai que vossa existência é uma expressão dos sublimes princípios da Harmonia, Amor, Verdade e Justiça, até que essas palavras fiquem perfeitamente gravadas em vosso subconsciente e se tornem elementos essenciais dos vossos atos.

CAPÍTULO II

# A Lei da Prosperidade

> Então, o Onipotente será a tua defesa e terás abundância de prata.
>
> Jó, 22:25

Uma das maiores mensagens que as Escrituras apresentaram à humanidade é a de que Deus é o suprimento do homem e que este, *pela sua palavra proferida,* faz passar da substância para a forma tudo o que lhe pertence por direito divino, isto é, como filho e herdeiro de Deus.

Todavia, para isso é preciso que tenha uma *fé perfeita na sua palavra falada.*

Expressou Isaías: "A minha palavra não me voltará vazia, mas efetuará o que me apraz e prosperará naquilo para que a enviei".

Deveis saber que as vossas palavras e pensamentos são tremendas forças vibratórias, que *estão continuamente amoldando o vosso corpo e os vossos negócios.*

Afirma uma instrutora mentalista:

"Uma senhora, achando-se muito aflita, procurou-me e disse-me que, no dia 15 daquele mês, seria obrigada a pagar três mil dólares. Não sabia como obter o dinheiro e se encontrava em situação desesperadora.

"Respondi-lhe que Deus era o suprimento dela e que *há um suprimento para todo pedido*.

"*Proferi, pois, a minha palavra!* Agradeci a Deus pelos três mil dólares que a senhora receberia no tempo oportuno e de um modo justo. Disse-lhe que devia ter uma fé perfeita e *agir de acordo com ela*. Chegou o dia 15, porém o dinheiro não apareceu. Chamou-me ela pelo telefone e perguntou-me o que devia fazer.

"Respondi-lhe: 'Hoje é sábado e, por isso, não vos farão a cobrança. Vosso papel está em vos *mostrardes* rica, manifestando vossa fé perfeita em que recebereis o dinheiro na segunda--feira'. Pediu-me que a acompanhasse ao lanche para conservar--lhe a coragem. Ao nos encontrarmos num restaurante, disse-lhe: 'Agora não é tempo de economizarmos. Mandai vir um lanche caro; agi como se já tivéssemos recebido os três mil dólares'.

"Disse Jesus: 'Tudo o que pedirdes na prece, *com fé, recebereis*'. É preciso agirdes como se *já tivésseis recebido*.

"Na manhã seguinte telefonou-me e pediu-me para fazer--lhe companhia o dia todo. Respondi-lhe: 'Não, sois divinamente protegida e Deus nunca chega tarde'.

"À tarde, telefonou-me novamente, com grande excitação, dizendo-me: 'Querida amiga, sucedeu-me um milagre! Estava sentada em meu quarto, esta manhã, quando soou a campainha. Ordenei à criada: 'Não façais entrar ninguém'. Ela, porém, olhou pela janela e disse: 'É o vosso primo, de barba branca comprida'. Disse-lhe, então: 'Chamai-o. Gostaria de vê-lo'. Ele estava para dobrar a esquina, quando ouviu a voz da criada e *voltou*... Conversamos quase uma hora, e já estava para sair, quando me perguntou: 'Como vão as finanças?' Respondi-lhe que estava passando dificuldades e precisava daquela quantia, ao que respondeu: 'Querida prima, no dia 1º do mês vos darei mil dólares'. Não queria que soubesse que eu estava em perigo de cobrança. Perguntou-me: 'Que devo fazer? Só receberei o *dinheiro* no dia 1º e preciso dele amanhã'.

"Respondi-lhe: 'Continuarei a fazer o *tratamento mental*. O Espírito nunca atrasa'.

"Dei graças a Deus por ela ter recebido o dinheiro no plano invisível e porque se manifestaria no tempo necessário.

"Na manhã seguinte, o primo a chamou e disse-lhe: 'Passe logo mais pelo meu escritório e lhe darei o dinheiro'.

"Na tarde daquele dia, ela possuía no banco o crédito de três mil dólares e encheu os cheques necessários aos pagamentos que devia fazer".

Encontrais na Bíblia uma admirável ilustração deste capítulo, com referência aos três reis que se encontraram no deserto, sem água para seus homens e animais. Consultaram o profeta Eliseu, que lhes deu esta extraordinária mensagem:

"Assim disse o Senhor: — Não notareis vento, nem vereis chuva e, entretanto, o vale estará cheio de água".

É preciso que vos prepareis para o que pedistes, *quando ainda não haja o menor sinal de sua visibilidade*. Por exemplo, conta uma senhora que, tendo necessidade de alugar um apartamento em Nova York numa época em que era difícil encontrá-lo, seus amigos se puseram a procurá-lo e lhes pareceu tão impossível que lhe escreveram: "Está muito custoso! Será necessário mandardes guardar vossos móveis e irdes residir num hotel". Respondeu-lhes ela: "Não vos aflijais por mim; *sou uma mulher, e encontrarei um apartamento*".

E fez a seguinte afirmação: "Espírito Infinito, abri o caminho para o meu apartamento". Ela sabia que há um suprimento para cada pedido e que, agindo no plano espiritual, "não dependia de condições externas" e também que "uma só pessoa com Deus é maioria".

Planejara comprar nova guarnição de mesa, quando "o tentador", o pensamento contrário ou a mente racional, sugeriu: "Não adquirais a guarnição; talvez não consigais, finalmente, um apartamento e ela para nada vos servirá!"

Porém, respondeu prontamente (a si mesma): "Prepararei o meu terreno comprando a guarnição!" Assim, se preparou para o apartamento — agindo como se já o tivesse.

Afinal, encontrou milagrosamente um que lhe foi concedido, apesar de haver mais de *duzentos pedidos*. A guarnição lhe serviu para mostrar que tinha fé ativa.

É desnecessário dizer que as covas feitas pelos três reis no deserto ficaram cheias de água.

Para as pessoas comuns não é fácil dirigir o movimento das coisas. Nelas, os pensamentos contrários de dúvida e temor surgem do subconsciente. São os "exércitos dos inimigos", que devem ser postos em fuga. Isso explica por que é que, geralmente, a "escuridão é maior antes do alvorecer".

Uma grande demonstração geralmente é precedida de pensamentos atormentadores.

Ao fazerdes a afirmação de uma alta verdade espiritual, desafiais as antigas crenças do subconsciente, e o "erro aparece" para ser expulso. É nessas ocasiões que deveis fazer repetidamente vossas afirmações, regozijando-vos e dando graças como se já tivésseis recebido, pois como disse o Altíssimo: "Antes que me chamem, lhes responderei". Isso quer dizer que "todo bem e toda dádiva perfeita" já vos pertencem e estão à espera de vosso reconhecimento. *Só podeis receber aquilo que vos vedes recebendo.* Possuís somente a terra que está ao alcance de vossa visão mental.

Todas as grandes obras, todas as grandes realizações foram levadas a efeito pela conservação da visão na mente, e, muitas vezes, pouco antes do grande triunfo, vem o insucesso aparente e o desânimo.

Quando chegaram à "Terra Prometida", os filhos de Israel tiveram medo de entrar, pois diziam que estava cheia de gigantes, diante dos quais se sentiam como uma planta rastejante. "E vimos gigantes e, pela nossa vista, nos julgamos perante eles como plantas rastejantes". Essa é a experiência de quase todos.

Entretanto, se conhecerdes a lei espiritual, não vos perturbareis pela aparência e vos regozijareis "ainda mesmo quando vos encontrardes no cativeiro". Quero dizer que conservareis a vossa visão e agradecereis pela realização de vosso objetivo, pois tereis recebido.

Jesus Cristo nos apresentou um admirável exemplo disso. Declarou aos seus discípulos: "Não dizeis vós que ainda faltam quatro meses para o tempo da colheita? Pois, eu vos digo, levantai os olhos e olhai para os campos; pois já estão maduros para a colheita".

A visão clara que tinha penetrara além do "mundo material", e Ele viu com clareza no mundo da quarta dimensão as coisas como realmente são — perfeitas e completas na Mente Divina.

Assim também vós deveis conservar a visão do objetivo de vossa peregrinação, e pedir a manifestação daquilo que já recebestes. Poderá ser a vossa saúde perfeita, o amor, o suprimento, a vossa expressão completa, o lar ou as amizades.

Todas essas coisas são ideias acabadas e perfeitas, que estão registradas na Mente Divina, ou vossa própria mentalidade superconsciente, e devem expressar-se por vosso intermédio.

Como exemplo, citarei um fato relatado por uma esoterista norte-americana. Diz ela:

"Um indivíduo se dirigiu a mim, pedindo que fizesse 'tratamentos' ou afirmações para o seu êxito. Era de absoluta necessidade que arranjasse, dentro de um tempo determinado, cinquenta mil dólares para atender aos compromissos de seu negócio. Quando se dirigiu a mim, o prazo estava próximo a expirar. Ninguém queria colocar dinheiro em sua empresa, e o banco recusava francamente fazer-lhe um empréstimo.

"Quando me contou isso, respondi-lhe: 'Julgo que perdestes a calma, no banco, e ficastes sem forças. Podeis dominar qualquer situação desde que domineis primeiramente a vós mesmo. Voltai novamente ao banco'. E acrescentei: 'Fareis meu tratamento'. *Esse tratamento* consiste na seguinte afirmação: 'Estais identificado em amor com o espírito de todos os que se relacionam com o banco. Surja dessa situação a ideia divina!'

"Respondeu-me ele: 'Senhora, estais falando numa coisa impossível. Amanhã é sábado; o banco fecha ao meio-dia; o trem só me permitirá estar aqui às dez horas, o meu prazo finda amanhã e eles não querem emprestar. É tarde demais'.

"Repliquei-lhe: 'Deus não precisa de tempo e nunca atrasa. Com ele, todas as coisas vos são possíveis. Nada sei de negócios, mas tenho um conhecimento perfeito sobre Deus'.

"Objetou ainda: 'Tudo me parece muito bonito quando me encontro aqui a escutar-vos, porém, quando me vou embora, é terrível'.

"Residia numa cidade distante, e não tive mais notícias dele durante uma semana. Chegou, então, uma carta. Dizia: 'Tínheis razão. Emprestei dinheiro do banco e nunca mais porei em dúvida a veracidade do que dissestes'.

"Encontrei-o semanas depois e perguntei-lhe: 'Que foi que sucedeu? Evidentemente, tivestes tempo bastante, não é verdade?'

"Respondeu-me: 'Meu trem chegou atrasado, e me achei aqui somente quando faltavam quinze minutos para meio-dia. Entrei calmamente no banco e disse: ... *Vim fazer o empréstimo*. E me atenderam sem fazer objeção alguma'.

"Eram os últimos quinze minutos que lhe restavam, e o Espírito Infinito não se atrasou. Neste caso, aquele homem não podia alcançar o resultado por si só. Precisava que alguém o ajudasse a manter a mente firme na visão ideal. É coisa que cada qual pode fazer para os outros".

Jesus Cristo sabia disso quando disse: "Se dois de vós concordarem na Terra a respeito de alguma coisa que hão de pedir, ser-lhes-á feita por Meu Pai que está nos céus".

Um inteligente observador da vida afirmou: "Ninguém é vencido, se alguém o vê triunfante". Tal é o poder da visão espiritual, e muitos grandes homens deveram seu êxito a uma esposa, irmã ou um amigo que "confiou neles" e se apegou sem hesitar ao modelo perfeito de sua expressão!

A vossa prosperidade depende das ideias que conservais na mente sobre o que é a abundância e o bem-estar perante as leis divinas.

*É vontade de Deus que prospereis e vivais na abundância de tudo o que é bom e desejável.*

Entretanto, muitos não prosperam porque julgam que, para *ser homem reto e justo*, é preciso ser pobre.

Essa ideia errônea criou profundas raízes na mentalidade de muitos indivíduos que procuram seguir as leis divinas, e eles fazem uma grande *ofensa a Deus,* julgando que o Criador das imensas maravilhas do mundo poderia impor a miséria e a parcimônia aos seus filhos.

Jacó, que, conforme a Bíblia, foi abençoado diretamente por Deus, começou a prosperar desde essa ocasião e ficou imensamente rico.

S. João, o apóstolo do amor, escreveu aos primeiros cristãos: "Amados, desejo, acima de tudo, que prospereis e gozeis de saúde, como prospera a vossa alma".

Deus preparou inesgotáveis tesouros para vós e vo-los deu de antemão, porém, de acordo com as leis da manifestação, é preciso que, *pelo vosso pensamento*, deis à substância cósmica a forma que vos convém: dinheiro, saúde, etc.

Pela afirmação e a prece, fazeis que a substância universal receba a forma necessária para a realização de vosso pedido.

Não deveis vos enciumar pela prosperidade dos outros, porque esse sentimento é um obstáculo muito grande para o bem--estar.

Pelo contrário, quanto mais pedirdes a Deus para beneficiar os outros, mais sereis favorecidos.

Existe uma *lei do dar e receber*, a qual deveis observar para poderdes receber abundantemente de Deus. Essa é uma lei mental cuja aplicação é indispensável para adquirirdes a verdadeira prosperidade.

A mais simples expressão dessa lei foi apresentada por Jesus da forma seguinte: "Dai e vos será dado".

Emerson a descreve da forma seguinte: "A polaridade, ou ação, e a reação se encontram em todas as partes da natureza; na obscuridade e na luz; no calor e no frio; no fluxo e no refluxo das águas; no masculino e no feminino; na inspiração e na expiração das plantas e dos animais, na sístole e na diástole do coração; na ondulação dos fluidos e do som".

Se a lei do dar e receber não se manifestar perfeitamente na vossa existência e vos parecer que dais muito e recebeis pouco, não procureis o motivo disso nas pessoas que recebem de vós.

Com efeito, a causa de não receberdes compensadoramente pode estar em não dardes liberal e abundantemente e ao mesmo tempo sem o sentimento de contrariedade ou de que vos fará falta. A vossa dádiva só é válida quando é feita com prazer e alegria e com o sentimento de que possuís muito mais.

Quando se trata de serviços prestados a outrem ou de esforços em benefício de alguém, deveis dar de coração aquilo que melhor tiverdes, não pensando na retribuição.

Quando os vossos esforços na vida não são convenientemente compensados, facilmente podereis atribuir a causa aos outros, porém, *a causa está inteiramente em vós mesmos*.

Se obedecerdes sincera e conscienciosamente à lei, ela agirá em vosso favor e recebereis abundantemente pelo que derdes de vossa parte.

Se vos parecer que a lei não está agindo em vosso favor, deveis procurar em vós mesmos o motivo dessa aparente variação da lei, porque ela é absolutamente invariável e não tem exceção.

Entretanto, não deveis julgar que a compensação deva vir da parte de quem recebeu de vós, pois quase sempre ela dará uma grande volta antes de vir ao vosso encontro, porém virá acrescida de grandes juros.

Nunca deveis vos lastimar porque recebestes alguma ingratidão da parte daqueles que beneficiastes, mas sim dar liberalmente, confiando sempre na ação da grande lei e vereis que, no devido tempo, tudo quanto destes vos virá com grande acréscimo.

Se fizerdes uma dádiva com qualquer reserva mental, ela não vos trará retribuição, porque não foi feita com os melhores sentimentos.

Todas as vossas dádivas e auxílios só poderão ser compensadores quando feitos de coração e desinteressadamente.

Com a mesma liberalidade que dais aos outros, deveis esperar do Universal.

O homem comum faz alguma coisa para os outros e, em seguida, espera a compensação e fixa a sua atenção de tal forma nesse ponto que fecha todos os outros caminhos ao seu suprimento e, às vezes, até esse mesmo.

Queixa-se, então, de sua "má sorte" ou procura meios de obter pela "justiça" da terra a compensação que lhe *é devida*.

Porém, isso não o satisfaz e um dia chegará a compreender que o único meio para chegar à prosperidade é aplicar as leis espirituais que regem a manifestação perfeita das coisas.

CAPÍTULO III

# O Poder da Palavra

> Pelas tuas palavras, serás justificado e pelas tuas palavras serás condenado.
> *Mateus, 12:37*

Se conhecêsseis o poder de vossas palavras, teríeis grande cuidado nas vossas conversas. Bastar-vos-á observardes a reação de vossas palavras para verificardes que elas "não vos voltam vazias". Por meio das palavras que pronunciais, estais estabelecendo continuamente leis para vós mesmos.

Conheci um homem que dizia constantemente: "Sempre perco o trem. Ele parte invariavelmente no momento em que chego à estação".

Tinha ele uma filha que costumava dizer: "Sempre alcanço o trem. Ele chega sempre no momento em que também chego".

Cada um deles tinha estabelecido uma lei para si mesmo — uma lei de insucesso e outra de êxito.

É de fatos semelhantes que vem a força das superstições. A ferradura ou o pé de coelho não têm poder algum; porém, se afirmardes e acreditardes que esses objetos atraem uma "posição feliz", isso criará em vossa mente subconsciente a *expectativa* do bem, a qual produzirá o resultado.

Entretanto, tenho notado que, depois que o indivíduo progrediu espiritualmente e adquiriu o conhecimento de uma lei superior, isso "não dá mais certo". Com efeito, atingido certo ponto, vossa alma não pode mais voltar atrás e não encontra mais apoio nas "imagens gravadas".

Um professor de esoterismo refere o seguinte caso:

"Dois homens que freqüentavam a minha escola tiveram grande êxito nos negócios, durante vários meses; porém, repentinamente, sofreram uma grande queda. Procuramos analisar a situação e descobri que, em lugar de fazerem suas afirmações e esperarem de Deus o êxito e a prosperidade, tinham comprado 'macaquinhos da sorte'. Expliquei-lhes então: 'Compreendo o que sucedeu: confiastes no macaquinho da sorte e não em Deus. Jogai fora esses macaquinhos e apelai para a lei do perdão, pois tendes o poder de perdoar ou neutralizar os vossos erros'.

"Resolveram desfazer-se dos macaquinhos e, desde então, tudo retomou o caminho do progresso. Isso não quer dizer que seja necessário vos despojardes de todos os 'objetos de sorte', ferraduras e talismãs, mas sim reconhecerdes que esses objetos apenas representam o único Poder, que é Deus, e servem somente para dar-vos um *sentimento de expectativa*".

O mesmo esoterista refere que se encontrava, um dia, ao lado de uma senhora, cuja situação parecia desesperadora. Ao atravessarem uma rua, ela encontrou uma ferradura e encheu-se de alegria e esperança, dizendo que Deus lhe havia enviado aquele objeto para conservar-lhe a coragem. Com efeito, naquele momento, era a única coisa que lhe podia gravar na consciência uma boa impressão. Assim a sua esperança tornou-se fé, e ela, finalmente, conseguiu um admirável resultado.

Notai a diferença de atitude mental. Os dois homens apenas confiaram nos macaquinhos, ao passo que a senhora tomou o aparecimento da ferradura como um *sinal* de que Deus a protegia.

Às vezes, tereis grande dificuldade em vencerdes a tendência a atribuir a certas coisas o poder de prejudicar-vos. Parecer-vos-á que certas circunstâncias ou certos indivíduos invariavelmente vos trarão desilusões em vossos planos. Entretanto, isso é uma impressão de vosso subconsciente, e para fazer-lhe perder tal impressão é preciso fazerdes amiúde a afirmação seguinte: "Não existem dois poderes; só há um Poder: Deus. Portanto, não existem desilusões, e o que apareceu denota boa surpresa".

Notareis imediatamente uma mudança, e as surpresas felizes começarão a apresentar-se.

Uma senhora que tinha grande medo das escadas disse que nada podia fazê-la descer uma escada. Disseram-lhe: "Se tiverdes medo, estareis cultivando a crença de dois poderes, o bom e o mau, e não de um só. Como Deus é absoluto, não pode haver poder contrário, a não ser que estabeleçais pessoalmente uma lei no mal. Para mostrardes que credes somente num poder — Deus — e que não há poder ou realidade no mal, descei a primeira escada que encontrardes".

Logo depois, ela se dirigiu a um banco. Queria abrir uma caixa no depósito subterrâneo e, para chegar a ele, era preciso descer uma escada. Tentou fazê-lo; o medo foi mais forte e fê-la voltar para trás. Entretanto, ao chegar à rua, lembrou-se das palavras que ouvira, e decidiu-se a voltar e descer a escada, enfrentando o falso leão que se achava em seu caminho. Esse foi um momento decisivo de sua vida, pois o medo das escadas a conservara durante muitos anos em limitação. Desceu ao subterrâneo e a escada deixou de existir ali para perturbá-la!

Isso acontece muitas vezes com os indivíduos. Por isso, se quiserdes executar uma coisa que receais fazer, procurai vencer esse temor. Esse modo de agir é uma aplicação da lei da não resistência.

Se enfrentardes sem temor uma situação, desaparecerá a dificuldade que representa.

Pelo contrário, o medo atrai o obstáculo que a coragem afasta.

Por conseguinte, *as forças invisíveis agem sempre a favor daquele que está contínua e corajosamente avançando para a frente, embora ele não o saiba. Em virtude das forças vibratórias das palavras, quando o indivíduo fala alguma coisa, começa a atraí-la para si... As pessoas que falam continuamente de moléstias invariavelmente as atraem.*

Quando tiverdes alcançado o conhecimento da verdade, nunca mais deixareis de ter muito cuidado com as vossas palavras.

Uma antiga sentença diz que o homem só devia falar para três objetivos: *curar, abençoar* ou *prosperar*. Com efeito, o que falardes dos outros também falarão de vós, e o que desejardes para os outros também se apresentará em vossa existência. Se desejardes má sorte para alguém, incontestavelmente a atraireis para vós. Se desejardes ajudar alguém a triunfar, estareis desejando e facilitando o vosso próprio triunfo.

Podeis renovar e transformar o vosso corpo por meio da palavra proferida e da visão clara da forma que desejais possuir, expulsando completamente de vossa consciência a moléstia.

O metafísico sabe que todas as moléstias têm seus correspondentes mentais e que, para curar o corpo, é preciso, primeiramente, curar a alma.

A alma é vossa mente subconsciente, que precisa ser "salva" dos pensamentos errôneos.

Lemos no Salmo 3: "Restaura a minha alma". Com efeito, vossa mente subconsciente ou alma precisa ser restaurada nas ideias retas, e a união da alma com o espírito ou a mente subconsciente constitui o que se chama o "casamento místico". Isso é coisa que deveis realizar um dia.

Quando o vosso subconsciente ficar repleto das ideias perfeitas de vosso superconsciente, em vós, Deus e o homem serão um só.

Como disse Jesus: "Eu e o Pai somos um", e o mesmo podereis dizer então. Sereis um só com o reino das ideias perfeitas; sereis o homem feito à imagem (imaginação) e semelhança de Deus, e recebereis poder e domínio sobre todas as coisas criadas: vossa mente, vosso corpo e vossos negócios.

Toda moléstia ou infelicidade provém da violação da lei do amor. Disse Jesus: "Amai-vos uns aos outros", e no jogo da vida, o amor e a bondade ganham todas as vazas.

Como ilustração, citarei o seguinte caso relatado por uma professora de ocultismo:

"Conheço uma senhora que, por muitos anos, teve a aparência de uma terrível moléstia da pele. Os médicos haviam dito que era incurável, e ela se achava em grande desespero. Vivia do palco e receava ter de abandonar sua profissão, pois não tinha outro meio de subsistência. Entretanto, ainda conseguira um bom contrato e, na noite de estréia, produziu grande impressão. Teve a alegria e satisfação de ouvir palavras elogiosas dos críticos. No dia seguinte, recebeu um aviso de ter sido dispensada, pois um homem que fazia parte do elenco ficara enciumado com o seu triunfo e fizera despedi-la. Sentiu que o ódio e o ressentimento se apoderavam de seu ser, porém, sendo espiritualista, exclamou: 'Meu Deus, não permitais que eu odeie esse homem'. Durante aquela noite toda, lutou silenciosamente para vencer seus sentimentos maus. Disse-me, ao relatar o caso: 'Em pouco tempo senti um profundo silêncio. Pareceu-me estar em paz comigo mesma, com aquele homem e com todo o mundo. Procedi da mesma forma durante as duas noites seguintes e, na terceira, notei que estava completamente curada da moléstia da pele!' Pedindo amor e bondade, ela cumprira a lei (*pois o amor é o cumprimento da lei*), e a moléstia que proviera do ressentimento subconsciente desaparecera completamente".

Uma crítica contínua produz reumatismo, pois os pensamentos desarmoniosos e divergentes causam depósitos de sedimentos no sangue, os quais se reúnem nas juntas.

Falsos desenvolvimentos, tumores cancerosos e inflamações são causados por ciúme, ódio, medo, recusa de perdoar, etc.

Toda moléstia resulta da falta de sossego mental. Não há necessidade de perguntar ao doente: "Que é que sente?" Pode-se perguntar-lhe logo: "Com quem se indispôs?" O ressentimento ou a falta de perdão mental endurece as artérias ou o fígado e enfraquece a vista. O seu séquito de males é interminável.

Ao traçar estas linhas, estou terminando a cura de uma senhora, professora que, em consequência de divergência com superiores e do ressentimento que guardava, fora atacada de uma moléstia da pele que lhe causava horrível coceira e para a qual a medicina não encontrava alívio. Na ocasião em que iniciei o tratamento espiritual, ela sofria ainda um grande enfraquecimento da vista, cólicas do fígado e perturbações do coração, conforme o diagnóstico médico. Iniciei o tratamento pela psicanálise, descobrindo as causas morais da moléstia, concluindo-o com a cura espiritual, que transformou o seu ressentimento em amor e simpatia.

Um escritor esotérico relata o seguinte fato:

"Certa vez fui chamado por uma senhora que me disse ter ficado doente porque comera uma ostra deteriorada. Respondi-lhe: 'Não é assim, a ostra era inofensiva; fostes vós que a deteriorastes. De quem estais ressentida?' Respondeu-me: 'De umas dezenove pessoas'. Ela havia questionado com dezenove pessoas e se tornara tão desarmoniosa que atraíra a ostra estragada".

Toda desarmonia exterior indica a existência de desarmonia mental. "Como por dentro, assim também por fora".

Os vossos únicos inimigos estão dentro de vós mesmos. "E os inimigos do homem serão os que são de sua própria casa". O vosso egoísmo pessoal será um dos últimos inimigos que haveis de vencer, à proporção que vos fordes despertando aos sentimentos de verdadeiro amor.

A missão de Jesus Cristo foi trazer a "paz na terra aos homens de boa vontade".

Se tiverdes uma inteligência esclarecida pela luz da verdade, procurareis aperfeiçoar-vos, trabalhando para melhorar vosso caráter e manifestar a melhor vontade para com o vosso próximo.

Se dirigirdes pensamentos de amor e desejos de felicidade para alguém que vos queira mal, este perderá todo o poder de prejudicar-vos, como podeis comprovar em vossa vida diária.

A esse propósito, um mentalista americano relata o seguinte caso:

"Um homem se dirigiu a mim pedindo para tratá-lo a fim de que pudesse triunfar nos negócios. Era vendedor de máquinas. Na localidade em que estava fazendo propaganda, havia aparecido um concorrente, trazendo uma máquina que dizia ser superior à do meu consulente, e ele ficou com receio de ser vencido. Respondi-lhe: 'Antes de tudo, deveis arrancar de vossa mente toda ideia de medo, reconhecendo que Deus protege vossos interesses e que dessa situação deve surgir a ideia divina a vosso respeito'.

"Portanto, no dia da demonstração pública, ele se dirigiu ao lugar da reunião, sem temor, sem resistência e abençoando o seu concorrente.

"Terminada a prova, veio dizer-me que o resultado fora muito notável, pois vendera a sua, sem a menor dificuldade".

Existe um conhecimento do poder da linguagem falada e, se quiserdes realmente produzir o vosso bem-estar e progresso, deveis adquirir esse conhecimento e estabelecer as vossas conversas de acordo com ele.

Cada palavra que expressais exerce uma ação na vossa vida pessoal, a qual será a vosso favor ou contra vós, conforme a ideia expressa pela palavra. Pelas vossas palavras, podeis colocar-vos em embaraços, pobreza ou moléstias, ou em harmonia, saúde e prosperidade. Com efeito, cada palavra que emitirdes é uma expressão, a qual produz uma tendência particular em determinada parte de vossa entidade. Essa tendência pode manifestar-se em vossa mente, no vosso corpo, na vida química deste último, no plano dos desejos, no caráter, em qualquer de vossas faculdades, vindo, em seguida, a produzir seus efeitos materiais.

O vosso modo de falar determina em grande parte o ambiente que tereis, as coisas que realizareis e como enfrentareis as condições que tereis de passar. Quando vossas palavras expressarem ideias e tendências para a moléstia e insucesso, entrareis no caminho que conduz a essas condições, e se essas tendências forem fortes, todas as energias de vosso organismo tomarão essa direção, fazendo esforço para arrastar-vos a esses males ou tomando tais condições como modelo.

Pelo contrário, quando vossas palavras expressarem tendências para a saúde, a alegria, o êxito e o poder, começareis a vos mover nessa direção e a criar essas coisas até certo ponto.

Cada palavra que falais possui uma força interna e secreta, de natureza boa ou má, a qual determina se a expressão deve ser benéfica ou prejudicial. Essa força de vossas palavras pode favorecer vosso progresso ou atrasá-lo, principalmente quando as expressardes com profunda emoção.

Por isso, quando vos achardes perturbados por qualquer aflição, deveis expressar palavras de calma e êxito para vencerdes as forças perturbadoras. Deveis esperar e falar sempre em dias melhores, pois assim as vossas forças internas tomarão uma direção superior e construtiva, cujos resultados não se farão esperar.

As vossas palavras expressas com sentimento de coragem, energia, saúde e triunfo vos levarão aos resultados almejados, ao passo que, se as expressardes com sentimento de dúvida, insucesso, desânimo e medo, esses sentimentos vos atrairão as coisas más e desagradáveis.

Se o tom de vossas palavras for alegre, bondoso e agradável, se os motivos que vos levaram a proferi-las forem nobres e puros, se a ideia que lhes deu origem for elevada e verdadeira, elas serão construtivas.

Quanto mais falardes sobre uma coisa, mais influência ela adquirirá em vossa vida e, por isso, quanto menos falardes nas coisas desagradáveis, mais depressa passarão.

Quando Jesus disse: "Pelas tuas palavras serás justificado, e pelas tuas palavras serás condenado", ele se referia ao grande poder que as palavras têm para estabelecer no éter uma corrente vibratória capaz de produzir os mais extraordinários efeitos materiais.

Pelas vossas palavras podeis criar um ambiente atrativo e novas oportunidades para vosso progresso, desde que elas sejam carregadas de energia e confiança em vossas qualidades reais.

As vossas palavras são a expressão de vossos pensamentos *subconscientes* e, quando falais, estais manifestando sem saber o que se passa em vosso íntimo. Como disse Salomão: "Como o homem pensa em seu coração, assim é ele".

Por esse motivo, para alterardes vossa atitude mental e vossos sentimentos internos, transformando-os em pensamentos otimistas, alegres e elevados, convém falardes no mesmo tom e proferirdes somente palavras animadoras e construtivas.

Quanto mais falardes no bem, quanto mais expressardes vossa confiança na vitória e na prosperidade, mais oportunidades de progresso se vos apresentarão, em virtude da lei da atração mútua dos semelhantes.

Deveis aplicar o mais conscientemente possível, nas vossas conversas diárias, a lei das palavras construtivas, pois aquilo que dizeis aos outros exerce uma considerável influência sobre o que pensarão de vós, e reage sobre vossa mente.

O vosso desenvolvimento segue invariavelmente a direção de vossa corrente mental, a qual se concretiza pelas vossas palavras.

A vossa palavra é a vossa varinha de condão, com a qual ordenais à substância universal que tome as formas que quereis dar-lhe.

Tendes o poder de mudar uma condição infeliz, vibrando sobre ela a varinha de vossa palavra.

Então, no lugar da tristeza, virá a alegria; no lugar da moléstia, a saúde; no lugar da miséria, a abundância.

A vossa faculdade imaginativa é a faculdade criadora e é de grande importância escolherdes palavras que deem um clarão da realização do pedido.

Não deveis fazer uma visualização ou afirmação forçada do que quereis, *mas sim, pedir a Deus que vos ilumine a mente com a ideia do que desejais.*

Disse Jesus Cristo: "Conhecereis a Verdade e a Verdade vos livrará".

Ele queria dizer que conhecereis a Verdade de toda situação que tiverdes de enfrentar.

Não há verdade na necessidade e na limitação. *Vibrareis sobre ela a varinha de vossa palavra, e o deserto se regozijará e florescerá como a rosa.*

O medo, a dúvida, a ansiedade e o ressentimento abatem as células do corpo, abalam o sistema nervoso e produzem as moléstias e os desastres.

A felicidade e o bem-estar devem ser alcançados pela conquista da natureza emotiva.

A força move, porém, não é movida.

Quando permanecerdes calmos e serenos, dispuserdes de bom apetite e vos sentirdes alegres e felizes, embora as aparências sejam contra vós, então tereis alcançado o poder de "dominar os ventos e as águas" e governar as vossas condições.

A vossa palavra é a vossa varinha mágica com a qual transmutareis em êxito o insucesso aparente. Tereis a certeza absoluta de que o vosso suprimento é ilimitado e imediato e todas as coisas que vos forem necessárias se manifestarão instantaneamente no exterior.

Por exemplo, durante uma viagem por mar, uma senhora despertou pela manhã, ao ruído dos aparelhos para desfazer a cerração. O mar estava coberto de uma densa cerração que parecia não querer se dissolver. Imediatamente, a senhora proferiu estas palavras: "Não há cerração na Mente Divina; portanto, que esta cerração desapareça. Agradeço a Deus pela chegada do Sol!"

Alguns minutos depois, apareceu um esplêndido Sol, pois é fato que o ser humano tem domínio sobre os "elementos e todas as coisas criadas".

Tendes o poder de dissolver a cerração que cobre a vossa vida, seja ela pela falta de bens, de saúde, de amor ou de felicidade, pelo emprego de vossa palavra proferida e manifestando os sentimentos de amor e harmonia.

O Amor, que é a mais perfeita expressão de Deus, é o maior dissolvente das sombrias nuvens de vosso destino, e é por meio dele que podereis exercer domínio sobre toda a natureza.

Conhecedor profundo da psicologia humana, o Divino Mestre Jesus Cristo disse: "Porém eu vos digo: amai vossos inimigos, abençoai os que vos perseguem, fazei bem aos que vos odeiam, e orai por aqueles que vos tratam mal e vos insultam".

*Os bons pensamentos produzem uma grande aura de proteção para quem os emite, e "nenhuma arma que seja dirigida contra ele prosperará". Por outras palavras: o amor e a bondade destroem os inimigos que estão dentro do indivíduo, e assim deixam de existir também os inimigos externos!*

Que as vossas palavras, caríssimos irmãos, sejam sempre a mais perfeita expressão dos sentimentos de Harmonia, Amor, Verdade e Justiça para com toda a humanidade.

CAPÍTULO IV

# A Lei da Não resistência

> Não resistais ao mal.
> Mateus, 5:39
> Não vos deixeis vencer pelo mal, mas vencei o mal com o bem.
> São Paulo aos Romanos, 12:21
> Maior é o que está em vós do que o que está no mundo.
> João, 4:4

A lei da não resistência é um princípio espiritual por meio do qual podeis harmonizar-vos com todos os obstáculos e oposições, mudando-os em elementos de progresso e aperfeiçoamento.

Na terra, nada pode resistir a uma pessoa absolutamente não resistente.

Dizem os chineses que a água é o elemento mais poderoso, porque é perfeitamente não resistente. Não opondo resistência, pode arrebentar uma rocha e arrasta tudo o que estiver na sua frente.

Jesus Cristo disse: "Não resistais ao mal", pois saiba que, na realidade, não existe mal, e, portanto, nada a que se deva resistir.

O mal provém da "má imaginação" humana ou da crença em dois poderes, o do bem e o do mal.

Conforme a lenda primitiva, Adão e Eva comeram o fruto de "Maya, a Árvore da Ilusão", e viram dois poderes em lugar de um só, que é Deus.

*Portanto o mal é uma falsa lei que o homem estabeleceu para si mesmo, por meio do psicoma ou sono da alma.*

Sono da alma é um estado da alma humana, hipnotizada pela crença racial no pecado, moléstia e morte; e essa crença é apenas um pensamento carnal ou moral e ilusório.

Como expliquei num capítulo anterior, vossa alma é vossa mente subconsciente, a qual recebe e expressa tudo o que sentirdes profundamente em vosso íntimo. Vosso corpo e vossos negócios *são expressões exatas do que idealizardes em vossa imaginação ou vossa alma.*

Se estiverdes doentes é porque mentalizastes moléstias; se sois pobres é porque pensastes na pobreza; se sois ricos é porque esperastes a riqueza.

Se me perguntardes por que as criancinhas atraem moléstias, embora sejam muito pequenas para saberem o que isso significa, vos responderei que elas são sensíveis e receptivas aos pensamentos dos que as rodeiam e muitas vezes expressam os temores dos pais.

Um professor de metafísica costumava dizer aos seus ouvintes: "Se não dirigirdes pessoalmente a vossa mente subconsciente, alguém a dirigirá em vosso lugar".

Muitas vezes as mães atraem inconscientemente moléstias e desastres para seus filhos por alimentarem, amiúde, pensamentos de medo a respeito deles e estarem a todo momento observando se apresentam algum sintoma de moléstia.

Perguntando-se a uma senhora se sua filha tinha tido sarampo, respondeu prontamente: — "Ainda não!"

Isso denota que ela esperava a moléstia e, portanto, estava preparando o caminho para o que não queria para si nem para sua filha.

Se vos centralizardes e firmardes no pensar reto, se apenas enviardes pensamentos de bondade para vosso próximo, e não tiverdes medo, *nunca sereis tocados ou influenciados pelos pensamentos negativos dos outros*, pois só podereis receber pensamentos idênticos aos que emitirdes.

A resistência é para vós o inferno, pois vos coloca num "estado de tormento".

Um metafísico apresentou certa vez aos seus amigos uma receita para ganhar todas as partidas no jogo da vida. A fórmula é o cúmulo da não resistência. Dizia ele: "Em certos períodos da minha existência, fui ministro e batizei muitas crianças, dando-lhes os nomes mais variados. Hoje, porém, somente batizo os acontecimentos, *dando a todos eles o mesmo nome*. Se tenho um insucesso, batizo-o com o nome de triunfo, em nome do Pai, do Filho e do Espírito Santo". Esse processo é uma aplicação da grande lei hermética da transmutação, efetuada por meio da não resistência, na qual, empregando a palavra expressa, o indivíduo transforma o insucesso em êxito.

Uma senhora que conhecia a lei espiritual da opulência achou-se necessitada de dinheiro e se viu comercialmente em contato contínuo com um homem que a fazia sentir-se muito pobre. Ele falava sempre em dificuldades e limitações, e seus pensamentos de pobreza e prejuízo iam penetrando no subconsciente dela, o que a irritava e a levava a acusá-lo do seu insucesso. Ela sabia que, para se manifestar seu suprimento, devia primeiramente sentir que o *tinha recebido*, pois é preciso que *um sentimento de opulência preceda a manifestação*. Certo dia veio-lhe a ideia de que estava resistindo à situação e vendo dois poderes, em vez de um só. Em vista disso, abençoou a situação com o nome de "Sucesso".

Começou a fazer a seguinte afirmação: "Visto que só existe um poder, Deus, este homem está aqui para meu bem e minha prosperidade". (Exatamente o que parecia não ser.)

Pouco tempo depois, *por intermédio daquele homem*, conheceu outra mulher que lhe deu, por serviços prestados, alguns milhares de dólares, e o homem mudou-se para uma cidade afastada, desaparecendo harmoniosamente de sua vida.

Fazei amiúde a seguinte afirmação: "Cada pessoa é um elo áureo da cadeia do meu bem, pois todos os homens são Deus em manifestação, *à espera da oportunidade dada por mim para servirem ao plano divino de minha vida*".

Disse um metafísico: "Abençoai vosso inimigo e o privareis de sua munição". Com efeito, assim, as setas serão transformadas em bênçãos.

Essa é a lei verdadeira, tanto para os indivíduos como para as nações. Abençoai uma nação, enviai sentimentos de amor e bondade para todos os seus habitantes, e ela ficará destituída do poder de prejudicar-vos.

Só podereis adquirir uma ideia justa da não resistência por meio do entendimento espiritual. Sem dúvida, ao aplicardes a lei da não resistência, muitas vezes tereis um pensamento de revolta: "Não quero ser um capacho humano". Entretanto, se empregardes a não resistência com discernimento, ninguém será capaz de vos calcar os pés.

O emprego da lei da não resistência é de grande valor, e notei muitas vezes que os pacientes melhoram muito ou curam-se rapidamente por essa forma.

Uma senhora, estudante da ciência mental, relatou-me o seguinte caso que lhe sucedeu:

"Certo dia, estava esperando impacientemente uma chamada ao telefone. Na minha ansiedade, *resistia* a todas as chamadas que me faziam e evitava telefonar aos outros, raciocinando que poderia obstar à chamada que esperava.

"Em lugar de pensar: 'As ideias divinas nunca entram em conflito; a chamada virá em seu devido tempo, deixando à Inteligência Infinita a disposição das coisas', comecei a dirigi-las, tomando sobre mim o encargo da batalha, em lugar de deixá-lo para Deus, ficando num estado de ansiedade e tensão nervosa. Durante uma hora, a campainha deixou de soar, e então, olhando para o fone, verifiquei que estivera desligado durante aquele tempo todo. A minha ansiedade, o meu medo e a minha crença na interferência haviam produzido um eclipse total do telefone.

"Notando o que tinha sucedido, compreendi o meu erro e pus-me imediatamente a abençoar a situação. Batizei-a com o nome de 'Êxito' e fiz a seguinte afirmação: 'Não posso perder qualquer chamada que me pertença por direito divino; *estou sob a ação da graça e não da lei*'.

"Um amigo correu ao telefone mais próximo e pediu à Companhia que restabelecesse a ligação. Entrou num armazém repleto de fregueses, cujo proprietário o atendeu imediatamente, pedindo à Companhia que fizesse a ligação. Meu telefone foi imediatamente ligado, e dois minutos depois recebi uma chamada importantíssima, e somente uma hora depois desta, a que estava esperando".

Este caso vos mostra a inutilidade da precipitação e da ansiedade, que não fazem mais do que atrasar e dificultar as coisas.

*É somente quando o mar está calmo que o vosso barco entra no porto.*

Enquanto resistirdes a uma situação, ela continuará a existir. Se fugirdes, ela correrá ao vosso encalço.

Uma senhora contou a uma estudante do mentalismo o seguinte fato que lhe sucedera:

"Quanta verdade há no princípio da não resistência! Eu era infeliz na casa materna. Não apreciava minha mãe, que estava habituada a criticar-me e queria dominar-me; casei--me, pois, e saí de casa — porém, casei-me, por assim dizer, com minha mãe, porquanto meu marido era exatamente semelhante à minha mãe e tive que enfrentar de novo a mesma situação".

Jesus disse: "Concordai imediatamente com o adversário". Isso quer dizer que deveis concordar em que a situação contrária seja boa, que não deveis vos perturbar por ela, pois cairá por si mesma. A situação desarmônica que existe em vossa vida *é o resultado de alguma desarmonia dentro de vós mesmo.*

Se não existisse em vosso íntimo um estado emotivo correspondente a uma situação desarmoniosa, ela desapareceria imediatamente de vosso caminho. Por conseguinte, diante de qualquer situação desarmoniosa é preciso agirdes sobre vós mesmos e modificardes vossa atitude, para que ela desapareça.

Uma mentalista diz o seguinte:

"Amiúde me pedem: 'Fazei tratamentos para mudar a disposição de meu marido ou de meu irmão'. A esses pedidos respondo invariavelmente: 'Não; *farei tratamentos para mudar vossa atitude,* e quando a mudardes vosso esposo ou vosso irmão mudarão'.

"Uma das minhas estudantes tinha o hábito de mentir. Expliquei-lhe que isso era meio caminho para o insucesso e que lhe pagariam em mentiras. Respondeu-me: 'Isso não me importa. Não posso viver sem mentir'.

"Certo dia, ela falava ao telefone com um homem a quem muito amava e, voltando-se para mim, disse: 'Não confio nele; sei que está mentindo'. Respondi-lhe: 'Está de acordo; mentis e assim os outros também vos mentirão, e podeis estar certa de que será exatamente a pessoa que quiserdes que vos seja mais sincera'.

"Algum tempo depois, encontrei-a e afirmou-me: 'Estou curada do hábito de mentir'. Perguntei-lhe: 'Que foi que vos curou?' Explicou-me: 'Estive vivendo na companhia de uma mulher que mentia mais do que eu!' De fato, muitas vezes, a pessoa é curada de suas faltas vendo-as nas outras".

A vida é um espelho e vos vedes apenas refletidos em vossos companheiros. Viver no passado é um modo de vida que vos levará à ruína, sendo uma violação da lei espiritual.

Jesus Cristo disse, conforme São Paulo em Coríntios, II, cap. 6, versículo 2: "Eis agora o tempo aceitável, eis agora o dia da salvação".

O passado e o futuro roubam-vos o tempo aproveitável. Deveis abençoar vosso passado e esquecê-lo, se vos mantém em limitações; e abençoar o futuro, sabendo que tem guardado para vós alegrias ilimitadas, e *viverdes completamente no presente*.

Uma mentalista americana narra o seguinte:

"Uma senhora se dirigiu a mim, queixando-se de que não tinha dinheiro para comprar presentes de Natal. Disse-me: 'O ano passado foi muito diferente, tinha dinheiro em abundância e ofereci belos presentes; porém, este ano, só tenho alguns cêntimos'.

"Respondi-lhe: 'Nunca alcançareis dinheiro pelo sentimentalismo e o viver no passado. Vivei inteiramente no presente e preparai-vos para dar presentes de Natal. Abri as vossas portas, o dinheiro virá'. Ela exclamou: 'Sei o que devo fazer! Comprarei alguns cordões de ouro, selos de Natal e papel de embrulho'. Disse-lhe: 'Fazei isso e os *presentes se apresentarão e se amarrarão aos selos de Natal*'.

"Isso também era mostrar coragem financeira e fé em Deus, pois a mente racional lhe dizia: 'Conservai todo níquel que tiverdes, pois não tendes a certeza de que conseguireis alguma coisa mais'.

"Ela comprou os selos, papel e cordões e, alguns dias antes do Natal, recebeu um presente de várias centenas de dólares. A compra dos selos e cordões impressionara a sua mente subconsciente com a expectativa do dinheiro, abrindo o caminho para a manifestação dele, e assim pôde comprar todos os presentes com muita antecedência".

Vossa vida deve estar ligada ao momento! "Portanto — afirma um Mestre — olhai bem para o dia de hoje! Essa é a saudação da alvorada!"

Deveis estar espiritualmente alertas, esperando sempre as vossas diretrizes e aproveitando toda oportunidade.

É muito útil começardes vosso dia com palavras retas. Imediatamente depois de levantar, fazei uma boa afirmação. Por exemplo, a seguinte:

"Seja feita a tua vontade hoje! Hoje é um dia de realização completa; dou graças a Deus pelo dia de hoje; milagres seguirão milagres, e as maravilhas nunca cessarão".

Adquiri o hábito de proceder dessa forma e vereis as maravilhas e os milagres se apresentarem continuamente em vossas vidas.

A seguinte afirmação produziu o êxito para muitas pessoas:

"Tenho um admirável trabalho e sigo um maravilhoso caminho; presto um brilhante serviço e recebo magnífica compensação!"

O mentalista que a formulou deu a primeira parte a um estudante e este apresentou a segunda, fazendo dela *uma poderosa afirmação*, pois ela facilmente penetra no subconsciente e sempre deve haver perfeito pagamento para um serviço perfeito. O estudante que completou a fórmula pôs-se a cantar em voz alta aquelas palavras e, dentro de breve tempo, obteve um trabalho admirável, por um meio extraordinário, recebendo avultada compensação.

Outro estudante, homem de negócios, recebeu-a e mudou a palavra *trabalho* para *negócio*.

Repetiu muitas vezes: "Tenho um admirável negócio e sigo um luminoso caminho, prestando serviços extraordinários com avultados lucros". Apesar de que nada havia feito durante meses, naquela tarde fez um negócio em que ganhou quarenta e um mil dólares.

Toda afirmação que fizerdes deve ser cuidadosamente combinada para o vosso caso, ocupando plenamente o campo do objetivo que tendes em mira.

Havia uma senhora que, achando-se em grandes dificuldades, pôs-se a pedir trabalho. Recebeu muito trabalho, porém não lhe pagaram coisa alguma. Notando o seu erro, acrescentou: "Admirável serviço por avultada paga", e a prosperidade lhe sorriu.

*Tendes o direito divino de possuir a abundância e receber mais do que o suficiente para vossa subsistência.*

Diz o profeta: "Seu celeiro estará cheio e sua taça transbordante!"

Essa é a ideia de Deus a vosso respeito. Quando romperdes em vossa consciência as barreiras das necessidades, entrareis na Idade de Ouro, e todo desejo justo de vosso coração será realizado.

Conheci um sapateiro que se encontrava na mais grave situação pois não ganhava o suficiente para a sua subsistência e pagamento de aluguel.

Aconselhei-o a que mentalizasse a chegada de numerosos clientes, que lhe traziam serviços e pagavam bem. Disse-lhe que agradecesse a Deus, como se já tivesse recebido.

Em poucos meses, sua situação melhorou e pôde pagar algumas dívidas mais prementes. Tudo lhe corria bem por algum tempo, e o negócio aumentava sempre, porém havia ainda algumas dívidas a pagar, e os credores, vendo a melhora, começaram a cobrar. Entretanto, em vez de satisfazê-los à medida que recebia, conquistando assim a boa vontade dos credores, o homem pedia mais prazo, porque julgava que podia precisar de dinheiro nos dias imediatos e, assim, foi atraindo os maus pensamentos dos credores, de modo que as coisas foram piorando.

Avisei-o, então, do seu erro e disse-lhe que devia ir pagando os credores à medida que fosse recebendo, sem pensar no *amanhã*, que estava nas mãos de Deus e podia ser melhor ainda.

O medo e a incredulidade, porém, parece que não o deixaram dar esse passo para a frente, sendo que ele ganha para viver honradamente, porém sem ter conseguido a abundância que possivelmente lhe estaria destinada.

A aplicação do princípio da não resistência vos permitirá resolver numerosas dificuldades nas vossas relações com o próximo, como o prova o exemplo a seguir. A senhora Agnes Mae Glasgow, conhecida mentalista norte-americana, relata o seguinte fato:

"Quando me encontrei pela primeira vez com o senhor Holden, disse-me que não tivera um só dia de sorte nos últimos dez anos. Isso aconteceu há uns oito anos.* Alguns anos depois, quando tornei a vê-lo, estava tão sorridente que parecia dar vida ao próprio Sol e se mostrava tão alegre como uma criança nos seus folguedos escolares. A sua maior infantilidade, disse, fora a de ter pensado que tinha um inimigo real.

---

* A autora escreveu em 1922.

"Os inimigos — disse-me, após ter vencido as suas dificuldades com a aplicação dos conselhos que lhe dera — são como os pequenos buracos da estrada, que vos obrigam a ter cuidado na direção de vosso carro. Sabeis que vos é possível desviar dos buracos da estrada, a fim de não ficardes encalhados, nem sofrerdes solavancos.

"O motorista pode muito bem desviar o automóvel dos buracos, porém, se for um caminho pelo qual tenha de passar amiúde, fará melhor ainda *tapando os buracos*.

"O mesmo acontece com os vossos inimigos se forem seres humanos, porquanto podeis fazer deles vossos amigos.

"Sei muito bem que alguém dirá que isso não depende totalmente de vós, porém sei que está em vossas mãos e não precisais dizer nada a ninguém sobre isso. Apenas é necessário que vos assenteis calmamente e façais todos os esforços para encontrar em vosso inimigo alguma coisa divina de vossa apreciação e louvor. É fato que existe alguma bondade em todos e, se procurardes bem, a encontrareis.

"Os pensamentos são coisas, e não podeis procurar alguma boa qualidade em vosso inimigo sem *pensar bem dele,* e é tão certo como o dia se segue à noite que, a tomardes interesse nessa pesquisa — como certamente acontecerá, se fizerdes esforços para encontrar o grão de ouro no caráter dele —, tomareis um interesse profundo que vosso pensamento irá diretamente a ele, fazendo-o retribuir os vossos bons pensamentos. Eu o verifiquei. Isso é que constitui deixar o Espírito *de justiça* arrastar uma corrente de inimigos, conforme aquelas palavras de Isaías, cap. 59, versículo 10: 'Vindo o inimigo como uma corrente de águas, o Espírito do Senhor o arrastará'. Esse trabalho é coisa interessante e *muito útil*.

"Estais sorrindo pelo meu entusiasmo, porém, se voltardes a vossa atenção para alguns anos passados, quando vos procurei pela primeira vez, e me dissestes, ao ver-me irritado contra meus inimigos, que, se continuasse assim, iria para a completa ruína física, moral e mental, não vos admirareis do meu sentimento. Dissestes, então, que todo pensamento de ódio que emitisse era como uma bola de borracha presa por uma corda que volta para o mesmo ponto, e que os meus pensamentos atrairiam, assim, maior número de inimigos, formando uma força imensamente maior contra mim.

"Na ocasião, não pude aceitar essa ideia. O pensamento de vingança era uma espécie de bálsamo para os meus sentimentos ofendidos. Naquele tempo, os vossos ensinamentos me pareceram contrários à *lei da justiça*. Não podia admitir que um homem de falsidade e desonestidade comprovadas não sofresse o castigo de sua maldade. Achava-me irritado contra os que me haviam prejudicado e me parecia que devia relatar os fatos a todo mundo, mostrando onde estava o erro.

"Porém, dissestes-me que o castigo do inimigo em nada me adiantava. Refleti muito sobre isso e, afinal, compreendi que não me trazia vantagens o esclarecimento da fraude.

"Pouco tempo depois, me escrevestes que, fossem quais fossem as aparências, atrás daquela manifestação e agindo por meio dela, se achava o poder que era capaz de produzir o meu maior bem, se eu, *primeiramente em pensamento* e depois nos meus atos, *me harmonizasse* com esse poder invisível. Harmonizar meus pensamentos seria como deitar óleo por cima da água agitada. O meu pensamento harmonioso acalmaria o pensamento daquele que procurava prejudicar-me e, para dar maior clareza à vossa afirmação, dissestes: 'Quando, na vossa mente, deixais de pensar nas más intenções de alguém, extraís o veneno da serpente e ela não mais vos pode picar. Jesus nunca expressou uma verdade mais científica do que quando disse: *Amai aos vossos inimigos e fazei bem aos que vos perseguem*. Isso não quer dizer que deveis ser um capacho humano e vos fazerdes mártir da afeição que tiverdes. Se, ao procurardes beneficiar vossos inimigos, vos considerardes melhor do que eles, será preferível que lhes envieis ódio, porque essa falsa modéstia tira todo o valor de vossas obras. O que deveis fazer justamente é provar para vós mesmos que vosso inimigo não é *inteiramente mau*, e que não há necessidade de convencerdes os outros. Basta-vos adquirirdes a convicção que ele tem em si mesmo, qualidades que, se fossem desenvolvidas, vos causariam admiração'. Sim, senhora, é isso mesmo que me escrevestes numa ocasião em que estava desesperado, doente e sem meios, a tal ponto que não tinha mais esperança de reerguer-me. Saí pensando que os vossos ensinamentos serviam para as velhas ouvirem e não tinham valor algum para um homem experimentado como eu e que estava na mais completa ruína.

"Outro ponto sobre o que me falastes e me impressionou muito, apesar de fazer todos os esforços para esquecê-lo, foi o seguinte: 'Mateus Holden, ninguém é muito velho para começar de novo. Não me interessa saber que não tendes um dólar para começar. Se possuístes um dólar, se o ganhastes, sabeis qual é a forma dele, que é que vos parece, qual a sensação que vos dá, que é que podeis fazer com ele. Podeis começar agora mesmo. Recordai-vos da forma de um dólar em papel, escolhei um que tenha uma águia gravada. Fechai os olhos, Mateus Holden, e pensai, pensai, pensai nesse dólar. Será para admirar, se, como tantos outros, não disserdes: *Não aprecio o dinheiro; é a causa do mal; só quero o dinheiro para fazer o que preciso com ele*. Porém, se admitirdes que DEUS É TUDO, que será essa moeda em que estais pensando? Essa nota com uma águia e admiráveis gravuras e letras, com a promessa PAGAREI em belas letras, que será? Se Deus é Tudo e O amais, como podeis odiar o dólar? Mateus Holden, esse dólar é parte do bem ilimitado, o DEUS infinito que se acha no centro de toda expressão; é uma das Suas expressões. É Sua Substância criada pela Sua Inteligência e posta em circulação pelo Seu Poder. Não vedes, Mateus Holden, que esse dólar é vosso amigo e vos foi dado pelo amigo invariável, que é Deus? É parte do Seu Todo, um fruto do galho da árvore total. Sois um dos galhos; o dólar que mentalizais é parte do fruto. Os vossos amigos são mais frutos. Adquiri amigos. Se não podeis tê-los de outra forma, ide ao vosso trabalho e adquiri-os em pensamento. Fazei-vos criança por alguns momentos e jogai cientificamente o *fazer de conta*. *Fazei de conta* que tendes numerosos amigos e que todos os inimigos que tivestes vos olham com expressão de amor e simpatia, e esperai os resultados. *Apenas observar e esperar*. Com a mesma certeza que o dia vem depois da noite, tereis posto em atividade uma corrente de bondade que arrastará até os últimos vestígios de vossa má sorte. A vossa fortuna virá. Tentai isso, Mateus Holden. Tentar meu plano nada vos custará. Dar-vos-á isto alegria ao menos por momentos. Se ele vos der prazer por algum tempo, já valerá o esforço, porém, se vos alegrar um pouco, continuarei com ele, dedicando mais tempo a esse admirável trabalho mental. Sei muito bem que não podeis aplicar vossa mente dessa forma, sem que vossos pensamentos sejam seguidos de atos semelhantes. E, como sabeis, os homens pagam as boas ações, pois elas são *serviços*'.

"Sim, senhora, foi isso que me dissestes e aqui estou eu, alegre, próspero e um tanto mais instruído do que quando vos vi pela primeira vez, há uns oito anos. Naquele tempo, tinha uma lojinha e julgava que o melhor que me restava a fazer era abrir falência. Hoje estou na casa que criei mentalmente. Mantive em atividade contínua esse pensamento, e os negócios foram aumentando gradualmente até que foi preciso comprar outra casa por aumentar o negócio, o que já fiz por quatro vezes.

Onde tinha um só freguês, hoje tenho vinte. Eles vêm de outras localidades para comprar os objetos no meu armazém, pois dizem que são melhores ou mais baratos do que os dos outros.

"O reto pensar traz o êxito, e o pensar errôneo leva ao insucesso. É coisa que não custa um cêntimo e dá grandes dividendos".

Todas as vezes que vos encontrardes em condições difíceis de resolver, recorrei ao princípio de não resistência. Por exemplo, se vos parecer que alguém pretende fazer-vos uma pergunta, cuja resposta vos será desagradável dar, não vos contrarieis por isso, mas afirmai que essa pergunta não vos será feita e colocai o assunto nas mãos de vosso Cristo interno, que resolverá tudo sem terdes dificuldade.

CAPÍTULO V

# A Lei do Carma e a Lei do Perdão

> Dai e dar-se-vos-á; boa medida, recalcada, sacudida, transbordando, vos porão no regaço; porque a medida de que usais dessa tornarão a usar convosco.
>
> *Lucas, 6:38*

> Pois, se perdoardes aos homens as suas ofensas, também vosso Pai celestial vos perdoará; mas se não perdoardes aos homens, tampouco vosso Pai perdoará vossas ofensas.
>
> *Mateus, 6:14*

Recebeis apenas na proporção em que dais, nem um ceitil mais, nem um ceitil menos. O jogo da vida é um jogo de dádivas.

Os vossos pensamentos, atos e palavras voltam para vós, cedo ou tarde, com espantosa exatidão. Tal é a Lei do Carma, isto é, da "reação" ou "volta", como designa essa palavra sânscrita.

Como disse o fundador do Cristianismo: "Aquilo que o homem semeia virá a colher".

Uma senhora relatou-me o seguinte caso pessoal que serve de exemplo para a lei:

"Construo todo o meu carma em minha tia. Tudo o que digo a ela, alguém me repete. Muitas vezes me irrito em casa e certa ocasião disse a minha tia que gostava muito de conversar à refeição: 'Não quero mais conversa; desejo comer em paz.' No dia seguinte, ao tomar o meu lanche em companhia de uma senhora a quem desejava produzir a melhor impressão possível, falava-lhe com animação, quando ela se voltou para mim e disse: 'Não quero mais conversa; desejo comer em paz'".

Essa senhora tinha a consciência muito elevada e, por isso, o seu carma lhe era retribuído com grande rapidez e facilidade. Quanto mais conhecerdes a lei espiritual, mais responsáveis sois e, se não a praticardes, maior será o vosso sofrimento.

Diz o *Livro dos Provérbios:*

"O temor do Senhor (a Lei) é o começo da sabedoria". Se substituirdes a palavra Senhor pela palavra Lei, muitos trechos da Bíblia se tornarão mais claros.

"A vingança é minha, eu retribuirei", diz o Senhor (a Lei). É a Lei que vinga e não Deus.

Deus vos vê como ser perfeito, "criado à sua própria semelhança (imaginação), e possuindo poder e domínio. Essa é a perfeita ideia de vossa entidade, registrada na Mente Divina, à espera de vosso reconhecimento, pois só podereis manifestar o que a vossa mente puder ver que sois e alcançar aquilo que ela vos vê alcançando.

Uma sentença antiga diz que "nada acontece sem um espectador" (que é o subconsciente do indivíduo).

Antes que a vossa ruína ou triunfo, ou antes que a vossa alegria ou tristeza apareça no plano visível, é preciso que seja vista por vós no cenário de vossa imaginação, onde podereis destruí-la antes de se materializar. Podeis observar isso na mãe que forma imagens de moléstias para seu filho ou na mulher que forma imagens de triunfo para seu esposo.

Disse Jesus Cristo: "Conhecereis a verdade e a verdade vos libertará". Vedes, portanto, que a libertação de todas as condições infelizes vos virá pelo conhecimento da lei espiritual.

A obediência deve preceder a autoridade, e a lei vos obedecerá quando lhe tiverdes obedecido em primeiro lugar. Antes que a eletricidade possa obedecer-vos e prestar-vos um serviço, é preciso que obedeçais às suas leis. Se a empregardes ignorantemente, poderá tornar-se vossa inimiga. *O mesmo acontece com as leis mentais.*

O caso de uma senhora que possuía uma forte vontade pessoal serve de ilustração. Desejando possuir a casa que pertencia a um seu conhecido, fez diariamente pinturas mentais de si mesma residindo naquela casa. Passado algum tempo, o proprietário morreu e ela tomou posse da casa. Porém, não levou muito tempo e ficou viúva, tornando-se a casa inútil para ela.

Anos depois, tendo chegado ao conhecimento da lei espiritual, perguntou ao seu professor mentalista: "Julgai que eu tenha alguma coisa com a morte daquele homem?"

A resposta que obteve foi a seguinte:

"Sim; vosso desejo foi tão forte, que tudo deu lugar para ele, porém, tivestes de pagar vossa dívida cármica. Vosso esposo, a quem amáveis muito, faleceu logo depois e a casa se tornou para vós coisa inútil".

Entretanto, se o primeiro proprietário tivesse sido positivo na sua ideia de verdade, não poderia ser afetado pelos pensamentos daquela senhora, e o mesmo se daria com seu marido; porém, ambos estavam sob dependência da lei cármica.

Sentindo o grande desejo de residir naquela casa, a senhora devia ter dito: "Infinita Inteligência, dai-me casa justa, tão encantadora, como esta, a casa que *me pertence por direito divino!*"

A escolha feita divinamente lhe teria dado completa satisfação e produzido bem para todos.

O único ideal ou modelo que deveis seguir é o ideal ou modelo divino.

O *desejo é uma força tremenda, que deve ser dirigida pelos canais justos, pois, do contrário, produzirá confusão e ruínas.*

O passo mais importante e o *primeiro* a dardes na aplicação das forças espirituais está em pedirdes o que é *justo*. Deveis pedir sempre só o que vos pertence por *direito divino*.

Para voltarmos ao exemplo citado, se a mulher tivesse tomado esta atitude: "Se esta casa que desejo for para mim, não poderei perdê-la; se não for para mim, dai-me seu equivalente", o homem podia ter resolvido mudar-se harmoniosamente, se essa fosse a preferência divina para ela, ou outra casa a teria substituído perfeitamente. Tudo o que é forçado a manifestar-se pela vossa vontade pessoal sempre *sai mal ou termina mal.*

O Senhor avisa-nos: "Seja feita a minha vontade e não a tua, e — coisa curiosa — quando abandonais a vossa vontade pessoal e deixais que a Inteligência Infinita aja por vosso intermédio, sempre alcançais exatamente o que desejais".

"Ficai quietos e vede a salvação que o Senhor (a Lei) vos dará". (II Crônicas, cap. 20, versículo 17.)

Uma senhora se dirigiu a mim em grande aflição. Sua filha havia decidido fazer uma viagem muito arriscada, e ela receava muito pela jovem. Referiu que havia empregado todos os argumentos possíveis, apontando os perigos que encontraria e proibindo que partisse; porém, a filha se tornara cada vez mais rebelde e determinada.

Expliquei à mãe: "Estais querendo impor a vossa vontade pessoal à vossa filha, o que não tendes direito de fazer, e vosso medo da viagem não está fazendo mais do que atraí-la, pois a pessoa atrai o que teme. *Abandonai isso e retraí vossa intervenção mental. Colocai o caso nas mãos de Deus e fazei a seguinte afirmação:* 'Deponho esta situação nas mãos do Infinito Amor e Sabedoria. Se essa viagem é o plano divino escolhido por Deus, abençoo-a e não mais resisto; porém, se não for divinamente planejada, dou graças por ser agora dissolvida e desfeita' ".

Passados dois ou três dias, a filha declarou-lhe: "Mamãe, abandonei a ideia da viagem". Assim, a situação voltou ao seu "nada primitivo".

Parecer-vos-á difícil aprenderdes a "aquietar-vos" e, para isso, deveis meditar bem sobre o que vos disse no capítulo da Lei da não resistência.

Darei outro exemplo do semear e receber, que foi relatado por uma senhora mentalista e se realizou de um modo curioso. Ela referiu o seguinte:

"Uma senhora se dirigiu a mim e mostrou-me uma nota falsa de vinte dólares que recebera de um banco. Achava-se muito aflita e disse-me que os auxiliares do banco jamais reconheceriam que se enganaram.

"Respondi-lhe: 'Analisemos a situação e vejamos por que a atraístes'. Refletiu um momento e exclamou: 'Sei o porquê. Mandei, por brincadeira, a uma amiga um punhado de imitação de dinheiro'. Por isso a lei, que nada sabe de brincadeiras, lhe enviara aquela nota falsa. Propus-lhe então: 'Apelemos agora para a Lei do Perdão e neutralizaremos a situação. O cristianismo é fundado na Lei do Perdão. Jesus Cristo nos remiu do peso da Lei Cármica, e o Cristo que está dentro de cada ser humano é o redentor e salvador de todas as condições desarmoniosas'. Fiz, portanto, o seguinte pedido: 'Espírito Infinito, apelo para a Lei do Perdão e vos dou graças, porque ela se acha sob vossa graça e não pode perder os vinte dólares que lhe pertencem por direito divino'. E dirigindo-me à senhora, disse-lhe que voltasse ao banco e dissesse sem receio que a nota lhe foi dada por engano. Ela obedeceu e ficou surpreendida de ver que lhe pediram desculpas e lhe deram outra nota, tratando-a de modo muito cortês".

Portanto, o conhecimento da lei vos dá o poder de "apagar os vossos erros". Não podeis forçar o vosso exterior *a ser o que não sois interiormente*, na vossa consciência. Se desejais a riqueza, *deveis ser primeiro rico em vossa consciência*.

Refere um mestre em metafísica:

"Uma senhora se dirigiu a mim para pedir que a *tratasse* para obter prosperidade. Ela não dava muita atenção aos assuntos domésticos, e seu lar estava em grande desordem. Aconselhei-a da seguinte forma: 'Se quiserdes ser rica, deveis ter ordem. Todos os homens de grande riqueza apreciam a ordem, que é a primeira lei divina. Nunca alcançareis a riqueza, se conservardes um fósforo queimado na alfineteira'.

"Ela possuía um bom sentimento de humorismo e imediatamente se pôs a arranjar a sua casa. Modificou a disposição dos móveis, consertou as gavetas da escrivaninha, limpou os tapetes e pôs fora todas as miudezas inúteis. Pouco tempo depois, teve uma bela demonstração financeira, recebendo um presente de um parente. Ela mesma modificou-se muito, conservando a boa disposição com o seu exterior e a atitude mental de que Deus era seu suprimento".

Muitos dentre vós ignoram o fato de que as dádivas e presentes são colocações de dinheiro e que o economizar e guardar excessivamente levam invariavelmente ao prejuízo. Dizem os *Provérbios*, cap. 11, versículo 24: "Um dá liberalmente, e se lhe acrescenta mais e mais. Outro poupa mais do que é justo, mas se empobrece".

Um metafísico americano relata o seguinte fato, que serve de exemplo ilustrativo:

"Conheci um homem que queria comprar um casaco de puro linho. Ele e sua mulher se dirigiram a várias lojas, porém não encontraram o que ele queria. Acharam que todos eram artigos muito ordinários. Afinal, lhes mostraram um que o comerciante afirmou ser avaliado em mil dólares, porém cedia-lhe por quinhentos, porque já estava no fim da estação. O dinheiro que possuía orçava por uns seiscentos dólares. A mente racional lhe dizia: 'Não podeis gastar num casaco quase tudo o que possuís'. Porém, ele era muito intuitivo e não quis raciocinar. Voltou-se para a mulher e disse: 'Se comprar este casaco, ganharei muito dinheiro!' A mulher consentiu na compra, mas sem entusiasmo.

"Mais ou menos um mês depois, ele recebeu dez mil dólares de comissão. O casaco fê-lo sentir-se tão rico que o levou ao êxito e à prosperidade; sem ele, não teria obtido a comissão que lhe deram. Aquela compra foi uma colocação de dinheiro que lhe rendeu grande dividendo!"

Entretanto, *se não derdes atenção a essa direção interna para gastar ou dar*, o dinheiro que despenderdes não vos dará proveito e nem ao que receber.

Uma senhora informou à sua família que, no dia de *Ação de Graças*,\* não teriam um jantar adequado ao dia, pois, embora dispusesse do dinheiro, resolvera economizá-lo. Dias depois, alguém penetrou em seu quarto e roubou-lhe a quantia exata que devia despender naquele jantar.

A lei sempre apoia aquele que gasta sem temor e com inteligência, como mostra o seguinte exemplo, citado por um metafísico:

"Uma de minhas alunas fora fazer compras, levando uma sobrinha em sua companhia. Esta pôs-se a chorar por um brin-

---

\* Festa americana realizada no fim de novembro.

quedo que aquela dissera não poder comprar-lhe. Repentinamente, porém, teve a ideia de que estava visualizando necessidade e não o reconhecimento de Deus como seu suprimento! Comprou, pois, o brinquedo e, ao se dirigirem para casa, *encontrou no caminho a quantia exata que despendera".*

Vosso suprimento será inesgotável e infalível quando tiverdes plena confiança nele, porém é preciso que vossa fé e confiança preceda a prova.

Disse Jesus: "Faça-se conforme a tua fé". Escreveu S. Paulo: "A fé é a substância das coisas esperadas, a evidência das coisas não vistas". Com efeito, ela mantém firme a vossa visão mental, dissolvendo as imagens contrárias e, se não desfalecerdes, no devido tempo colhereis. Jesus Cristo vos trouxe a boa nova (o Evangelho) da existência de uma lei superior à do carma e que a transcende completamente.

É a Lei da Graça e do Perdão. *A lei que liberta o indivíduo da lei de causa e efeito, que é a lei das consequências.* Colocai-*vos debaixo da graça e não da lei.*

Ensinam os Mestres que, nesse plano, o indivíduo colhe o que não semeou, e as dádivas de Deus são simplesmente derramadas sobre ele.

"Tudo o que o Reino possui lhe pertence". Esse contínuo estado de bem-aventurança aguarda aquele que venceu o pensamento do gênero humano ou o mundo, e que, diante das perseguições, dificuldades e obstáculos, diz no seu íntimo: "Eu só, com Deus, sou maioria". No pensamento mundano só há tribulação; porém, Jesus Cristo disse: "Alegrai-vos; venci o mundo".

O pensamento mundano é o pecado, a moléstia e a morte. Jesus viu a sua absoluta irrealidade e disse que a moléstia e a tristeza passariam e que a própria morte seria o último inimigo a ser vencido. Sob o ponto de vista científico, sabemos agora que a morte pode ser vencida imprimindo na mente subconsciente a convicção de vida e mocidade eternas.

Sendo apenas uma força sem direção, vossa mente subconsciente *executa as ordens sem fazer objeção*. Agindo sob a direção do vosso superconsciente (Deus em vós ou o vosso Cristo interno), ela pode produzir a "ressurreição de vosso corpo". Então, não mais abandonareis o vosso corpo pela morte. Ele será transformado no "corpo elétrico", cantado por Walt Whitman.

A história filosófica do mundo se resume nas três palavras: Fatalismo, Carma e Livre-Arbítrio, que constituem a base fundamental de todas as religiões antigas e modernas.

O maometano encara as calamidades com a cabeça inclinada e com a calma do mais completo abandono, tendo na boca a palavra "Kismet" que, para ele, é o Destino Inexorável.

O brâmane, o budista e o jaino sofrem estoicamente a ruína e o desastre, murmurando a palavra "Carma", a lei invariável das consequências.

Os cristãos suspiram tristemente, dizendo: "É a imperscrutável vontade de Deus" — ou o Destino.

Os gnósticos, materialistas ou ateus empregam as palavras coincidência, sorte e destino para designar as coisas inexplicáveis que lhes sucedem.

O ocultista, porém, afirma que o destino e o livre-arbítrio se reúnem na ação da lei de causa e efeito.

A maioria dos seres humanos segue, na prática, a doutrina do fatalismo. Todos os fatalistas colocam fora de si mesmo o poder que determina o destino, e nisso está a fraqueza e inexatidão desse sistema, porquanto a base do fatalismo é que sofrais os efeitos de causas que não pusestes em atividade. O fatalismo retira o livre-arbítrio do homem e, fazendo-o, priva-o de toda responsabilidade moral, pois se um Deus, caprichosamente, criou o homem no pecado, dando-lhe caráter e ambiente que o fazem proceder mal, então Deus é o responsável.

A questão da crença que "tiverdes" é muito importante, pois "como o homem pensa em seu coração, assim é ele". Aquilo que realmente acreditais — e o que dizeis que credes — manifestais em vossa vida exterior.

Se aceitais uma doutrina ou teoria, inconscientemente a seguis e, portanto, antes de aceitá-la, deveis examinar bem os seus princípios, porque, seguindo-os, resultarão deles certas conseqüências em vossa vida.

Se não tiverdes uma crença firme sereis um indivíduo instável, vacilante e sem equilíbrio, não sendo possível confiar em vossas palavras.

A Lei do Carma, que constitui parte essencial dos credos do Oriente, também, na prática, é considerada fatal pela maioria dos povos. É a lei de causa e efeito, à qual Jesus se referiu quando disse: "Não julgueis para não serdes julgados. Pois, conforme julgardes, sereis julgados, e com a medida que empregardes vós sereis medidos".

S. Paulo também se referiu a isso quando disse: "Não vos iludais; ninguém zomba de Deus, pois aquilo que o homem semear, virá a colher".

Conforme as religiões indianas, o homem entra na vida terrestre no ambiente que seu carma passado — pensamentos e atos — criou. Talvez um exemplo vos permitirá formar uma ideia mais clara:

"Havia um homem rico, em certa cidade, o qual vivia como a maioria de sua classe, somente para gozar a vida. Encontrou uma mulher leviana, da qual logo se fez amante. Após algum tempo, ele cansou-se de uma vida inútil e desregrada, e resolveu emendar-se. A mulher fez-se amante de outros, até cair, finalmente, na mais baixa degradação. Entretanto, desde o momento em que cortara suas relações com aquela mulher, o homem elevou-se cada vez mais mental e moralmente, e, depois de algum tempo, pareceu que se haviam esquecido completamente.

"Enfim, desencarnaram. O homem reencarnou-se em primeiro lugar e, em virtude de sua vida anterior mais perfeita, nasceu numa família boa e foi educado em ambiente que o levou a uma vida intelectual e moral.

"Terminados os seus estudos, escolheu o ministério por profissão, julgando que, dessa forma, poderia ajudar melhor seus irmãos. Recebeu uma paróquia e casou-se. O ego a quem desviara do caminho estava à procura de reencarnação. A mente divina não havia esquecido a antiga relação entre esses dois egos e que aquele homem produzira a queda moral do outro. A corrente magnética que unira fortemente os dois em uma existência anterior não havia sido cortada, e ela os reuniu novamente. O ego que tivera a personalidade feminina encarnou-se como filho do ministro. O carma, constituído pelos antigos pensamentos e atos, os havia reunido. Quando o rapaz se fez homem, todos os antigos desejos insatisfeitos de dissipação se levantaram, e ele se entregou a uma vida dissoluta. Isso trouxe muito aborrecimento e vergonha para o ministro, seu pai, porém provinha do carma e era justo. Noite após noite, procurava seu filho nos ambientes do vício e o trazia para casa. Diariamente conversava com ele e orava para que mudasse de proceder. Seu maior desejo na vida era levar seu filho para o bom caminho. Assim, esses dois egos permaneceram ligados pelos seus atos até que seu pai, finalmente, elevou o filho ao plano moral de onde o fizera cair".

Tal é o destino criado pelo próprio indivíduo.

Os hindus reconhecem também que os pensamentos e atos atuais formam o futuro tanto da existência atual na terra como da seguinte. Porém, dão excessiva importância ao carma como efeito e pouca como causa, e assim os hindus e os estudantes ocidentais de filosofia oriental facilmente se inclinam a pensar que o carma, embora feito pelo indivíduo, é quase inexorável. Não se compenetram muito bem de que *o destino, sendo feito pelo indivíduo, pode ser modificado por ele*. Enfim, não dão a devida força ao livre-arbítrio.

O principiante do ocultismo está sujeito a formar essa mesma ideia do carma pois, como dissemos, a maioria das pessoas pouco desenvolvidas é fatalista.

Os estudantes fazem amiúde esta pergunta: "Se o meu ambiente é cármico, como poderei mudá-lo?"

Respondo sempre: "Não vos esqueçais que o carma é causa e efeito ao mesmo tempo; não vos esqueçais que tendes livre-arbítrio e, portanto, podeis esperar passivamente que a lei mude vosso ambiente, o que se dará no devido tempo, ou podeis modificá-lo no presente, pondo em atividade novas causas".

Ao dizer que o homem tem livre-arbítrio, não pretendo que julgueis que é absolutamente livre, mas, sim, que tem a liberdade de empregar ou não as forças da natureza, a liberdade de agir de acordo com a vontade divina ou contra ela.

A vossa vontade não só é limitada pela vossa falta de conhecimento da vontade divina, mas também modificada amiúde pela vontade dos outros.

Porém, se vos habituardes a confiar plenamente na vontade divina, esta, unida à vossa vontade, vos permitirá escapar completamente da influência de qualquer vontade estranha.

A Lei da Graça e do Perdão, reconciliando-vos com o Criador, produzirá uma completa transformação no vosso íntimo, fazendo de vós um *homem novo*.

Para vencerdes a Lei do Carma e vos colocardes sob a Lei da Graça e do Perdão, é preciso perdoardes a todos, seja o que for que vos tenham feito e seja qual for o motivo que tiverdes para vos queixardes; é preciso que esqueçais não só os erros dos outros, mas também os vossos, por maiores que sejam.

A lei de que colheis o que semeastes não deixa de existir por vos colocardes sob a Lei da Graça, porém vencereis os seus efeitos externos por meio de uma lei superior, a qual vos eleva acima das leis de causa material, como o conhecimento das leis da aeronáutica vos permite viajar de avião, não precisando mais sujeitar-vos às leis de viagem a pé, a cavalo, por trem de ferro ou por automóvel.

À proporção que vos fordes convencendo da realidade destas leis espirituais e as aplicardes em vossas existências, ireis colhendo o fruto de uma existência mais concorde com os princípios de Harmonia, Amor, Verdade e Justiça, em que o progresso material correrá paralelamente ao desenvolvimento espiritual, pois são os dois polos de uma mesma coisa.

CAPÍTULO VI

# Para Transferirdes Vosso Fardo

*(Processo para impressionardes vosso subconsciente)*

> Vinde a mim todos vós que trabalhais e tendes pesados fardos e eu vos aliviarei.
> *Mateus, 11:28*

Quando tiverdes adquirido o conhecimento de vós mesmos e das operações de vossa mente, vosso maior desejo será encontrar um meio fácil e eficiente para impressionardes o vosso subconsciente com bons pensamentos, pois tereis compreendido que o simples conhecimento intelectual da Verdade não é suficiente para produzir resultados.

Vosso subconsciente se acha repleto dos reflexos e imagens de vossos atos e pensamentos passados, e é preciso que o impressioneis com as ideias superiores do superconsciente para que a sua atividade criadora produza as coisas de acordo com os vossos desejos.

Pelo estudo e a observação, verifiquei que o modo mais fácil de "transferir o fardo" é o processo ensinado por Jesus Cristo e explicado da seguinte forma por um metafísico: "A única coisa que dá peso a um objeto é a lei da gravidade e, se levardes uma pedra a uma grande altura no espaço, ela perderá seu peso. É isso que Jesus Cristo designou quando disse: 'Meu jugo é fácil e meu fardo é leve'".

Ele havia vencido a vibração do mundo e agia no plano da quarta dimensão, no qual só existe perfeição, vida, alegria e complemento.

Declarou ele: "Vinde a mim, vós todos que trabalhais e tendes pesados fardos e eu vos aliviarei". "Tomai sobre vós o meu jugo, pois meu jugo é fácil e meu fardo é leve".

No salmo 55, também, o rei-cantor aconselha: "Lança sobre o Senhor a tua carga".

Muitos trechos da Bíblia afirmam que a *batalha é de Deus* e não do homem, e que este deve sempre *"manter-se quieto" e ver a salvação do Senhor.*

Isso indica que a vossa mente superconsciente ou vosso Cristo interno é a parte de vosso ser que combate nas vossas lutas e que alivia vossa carga.

Portanto, se carregardes um fardo, ou mantiverdes um pensamento mau, doentio ou desanimado, estareis *transgredindo* a lei, e esse pensamento ou estado tem sua base em vosso subconsciente.

Parecer-vos-á quase impossível abrirdes uma entrada de vossa mente consciente ou raciocinadora para o subconsciente, pois vossa mente consciente, ou intelecto, é limitada em suas concepções e se acha repleta de dúvidas e temores.

É, pois, um processo científico o ato de transferirdes o vosso fardo para vossa mente superconsciente, ou o Cristo interno, na qual se "torna leve" ou é dissolvido no seu "nada natural".

Por exemplo: certa senhora, achando-se em urgente necessidade de dinheiro, fez a seguinte afirmação: "Transfiro o fardo da falta de dinheiro para o meu Cristo interno e sigo livremente para a abundância!"

A crença na necessidade e falta de dinheiro era o seu fardo e, logo que o transferiu para o Cristo interno, o superconsciente inundou o subconsciente com a sua crença na abundância e daí resultou uma avalanche de suprimento.

Como escreveu o apóstolo: "O Cristo em vós é a esperança de glória".

Outro exemplo desta lei: uma aluna de certa mentalista, tendo recebido um piano novo, viu-se embaraçada por não ter lugar para ele, sem que fosse retirado o piano velho. Desejava conservar o piano velho, porém não sabia para onde mandá--lo. Sentiu-se desesperada, pois o novo piano devia ser-lhe mandado imediatamente, e com efeito já se achava a caminho, sem haver lugar para ele. Teve a ideia de repetir várias vezes: "Transfiro esta carga para o meu Cristo interno e fico livre".

Momentos depois, o telefone soou e uma amiga perguntou-lhe se queria alugar o seu piano velho, e assim foi ele retirado antes da chegada do novo.

Um esoterista refere que conhece uma senhora cujo fardo era o ressentimento. Foi aconselhada a fazer a afirmação seguinte: "Transfiro o fardo do ressentimento para o Cristo interno, e fico livre, tornando-me amável, harmoniosa e feliz".

Em pouco tempo, o onipotente poder superconsciente inundou o seu subconsciente de amor e toda a vida dela se transformou. Durante anos, o ressentimento a conservara num estado de tormento e mantivera sua alma ou mente subconsciente aprisionada.

Deveis fazer as vossas afirmações muitas e muitas vezes, mesmo durante horas inteiras, silenciosa ou audivelmente, com calma e firmeza ao mesmo tempo.

Muitas vezes, comparei a prática da concentração e afirmação ao ato de dar corda numa vitrola, na qual, de tempos a tempos, é preciso refazer a corda despendida. *Deveis dar corda em vossa máquina subconsciente por meio de palavras proferidas*.

Observei muitas vezes que, pouco depois de ter "transferido o fardo", a pessoa parece ver as coisas com maior clareza.

Será impossível terdes uma visão mental clara, se estiverdes envolto nas malhas da mente carnal. As dúvidas e os temores envenenarão vossa mente e vosso corpo, fazendo vossa imaginação vagar, arrastando-vos para o desastre e a moléstia.

Pela repetição persistente da afirmação: "Transfiro este fardo para o Cristo interno e fico livre", vossa vista mental se tornará clara e, com isso, tereis uma sensação de alívio, vindo no tempo oportuno a *manifestação do bem como saúde, felicidade ou suprimento*.

Antes do alvorecer, apresenta-se sempre a noite da dúvida e do desânimo, que deve ser tenazmente combatida por um esforço persistente em manter uma fé inabalável.

Quase sempre, antes de alguma grande vitória e manifestação do poder espiritual, "tudo parece correr mal" e uma profunda depressão obscurece a consciência. Isso quer dizer que as dúvidas e temores do passado estão surgindo do fundo do subconsciente. Essas velharias do subconsciente começam a surgir à tona para *serem expulsas*.

É então que deveis fazer soar os címbalos, como Josafá, e dar graças por estardes salvos, embora vos pareça que estais rodeados pelo inimigo, isto é, pelo estado de necessidade ou moléstia, que o subconsciente procura exagerar.

Quanto tempo tereis de permanecer nessa obscuridade? *Até poderdes ver na escuridão;* o ato de descarregardes vosso fardo prepara vossos olhos para verem na escuridão.

Para fazerdes impressão em vosso subconsciente é preciso que tenhais uma fé ativa.

Neste livro tenho procurado provar-vos que "a fé sem obras é morta".

Jesus Cristo mostrou fé ativa quando "ordenou à multidão que se sentasse", antes de dar graças a Deus pelos pães e os peixes.

Darei outro exemplo para mostrar-vos quanto é necessário confirmar a fé pelos atos. A fé ativa é a ponte sobre a qual tereis de passar para entrardes na Terra Prometida.

Por causa da desinteligência com seu marido, uma senhora se viu separada dele e isso a feriu profundamente, porque o amava muito. Ele recusava todas as propostas de reconciliação e nem mais queria comunicar-se com ela. Vindo a conhecer a lei espiritual, ela negou firmemente a aparência de separação, empregando para isso a afirmação seguinte:

"Não há separação na mente divina e, portanto, não posso ser separada do amor e da companhia que me pertencem por direito divino".

Para mostrar a sua fé ativa, guardava diariamente à mesa um lugar para o marido, gravando no subconsciente a imagem de sua *volta*.

Passou-se quase um ano, porém ela não vacilou, e *um dia ele entrou em casa*.

A música é, muitas vezes, um bom meio de impressionar o subconsciente. A música atua na quarta dimensão e liberta a alma de sua prisão carnal. Faz também que coisas admiráveis pareçam *possíveis e de fácil realização!*

Certa senhora costumava empregar a sua vitrola para esse fim. Com o auxílio dela, colocava-se em estado mental harmonioso e calmo, e ativava a imaginação criadora.

Outra senhora costumava dançar quando fazia as suas afirmações. O ritmo e a harmonia da música davam às palavras uma grande força.

Invariavelmente, antes de um resultado importante, apresentam-se os "sinais de terra".

Antes de Colombo avistar as terras da América, viu pássaros e galhos de árvores, que foram sinais de que se aproximava da terra. O mesmo se dá na vida espiritual; porém, muitas vezes o estudante toma esses "sinais" pela própria coisa e fica descontente.

Por exemplo, uma senhora tinha feito a afirmação, ou "proferido a palavra", de que receberia um jogo de pratos. Mandaram-lhe um prato quebrado, e ela se queixou por isso. Explicaram-lhe então que aquele prato era apenas "sinal" de que o jogo de pratos estava em caminho e, com efeito, não demorou muito a chegar.

Aparentar ser uma coisa, desde que não seja em detrimento de outrem, é um bom meio de impressionar o subconsciente. Se aparentardes viver na prosperidade e ter uma vida feliz, estareis semeando uma planta cujos frutos colhereis no seu devido tempo.

Havia uma senhora muito pobre, porém ninguém podia fazê-la *sentir-se pobre*. Alguns amigos ricos a auxiliavam com pequenas quantias e continuamente lhe recordavam sua pobreza, recomendando-lhe cuidado e economia. Porém, apesar das advertências, ela gastava tudo num chapéu ou num presente e conservava-se sempre alegre. Sua mente estava sempre ocupada com as ideias de belos vestidos, anéis e outras coisas luxuosas, porém não tinha inveja dos outros. Vivia num mundo de maravilhas e só as riquezas lhe pareciam coisas reais.

Passado algum tempo, casou-se com um homem rico, os anéis e as joias tornaram-se objetos visíveis. Não se pôde comprovar se o homem com quem casou era o "escolhido por Deus", porém é certo que a opulência foi a única coisa que pediu, e a obteve.

*Enquanto não tiverdes arrancado o medo de vosso subconsciente, não podereis ter paz ou felicidade*. O medo é uma energia mal dirigida, a qual precisa receber nova direção ou ser transmutada na fé. Disse Jesus: "Por que temeis, homens de pouca fé?" Afirmou ainda: "Tudo é possível ao que crê".

Se me perguntardes: "Como hei de libertar-me do medo?", responder-vos-ei: "Enfrentando a coisa que temeis".

É de vosso temor que o leão recebe a sua valentia. Enfrentai o leão, e ele fugirá; fugi, e ele correrá atrás de vós.

Mostrei-vos como é que o leão da necessidade desaparece quando despendeis vosso dinheiro sem temor, manifestando a fé em Deus como vosso suprimento infalível.

Muitos metafísicos saíram de suas limitações primitivas e alcançaram abundante suprimento por terem perdido o medo de despender seu dinheiro. Seus subconscientes ficaram impressionados pela verdade que *Deus é, ao mesmo tempo, a Dádiva e o Dispensador* e, portanto, como o é com a Dádiva.

Uma excelente afirmação para esse caso é a seguinte: "Agradeço, neste momento, a Deus Dispensador por ter recebido Deus que, ao mesmo tempo, é Dádiva".

Os homens se separam por tanto tempo do seu bem e suprimento, por meio de pensamentos de separação, que, às vezes, é necessária a dinamite para desalojar essas falsas ideias do subconsciente e, nesse caso, a dinamite é uma situação difícil.

Pelos exemplos anteriores, vistes como é que os indivíduos ficaram livres de suas limitações — *mostrando-se destemidos*.

Deveis vigiar-vos a todo momento para verdes se o vosso motivo para agir é a fé ou o temor.

"*Escolhei hoje a quem servirdes: ao temor ou à fé*".

Talvez vosso temor seja o da personalidade. Nesse caso, não eviteis as pessoas temidas; procurai-as numa atitude alegre e confiante, e elas se mostrarão "anéis áureos na cadeia de vosso bem" ou desaparecerão harmoniosamente de vosso caminho.

Se tiverdes temor de moléstias ou de germes, deveis combater esse medo por meio de afirmações e não vos perturbar num ambiente infeccionado, pois assim ficareis imunes. Somente podeis ser afetados pelos germes, quando vibrardes no mesmo grau que eles, e o medo faz as vossas vibrações descerem a esse grau.

O ambiente dos germes é criação da mente carnal, pois todo pensamento deve objetivar-se.

Os germes não existem na mente superconsciente ou divina, sendo, portanto, produto da "vã imaginação humana".

A vossa libertação virá num piscar de olhos, quando vos compenetrardes de que *não há poder no mal*.

Um dia, com o aperfeiçoamento geral da humanidade, o mundo material desaparecerá e será manifestado o mundo da quarta dimensão, o *Mundo das Maravilhas*, sobre o qual diz S. João: "Vi um novo céu e uma nova terra... e não haverá mais pranto nem choro, nem dor, porque as coisas anteriores serão passadas".

A teoria do processo de transferirdes o vosso fardo se apoia no princípio de que, se Deus vos criou é porque *Ele precisa* de vós para um fim determinado, e as peripécias que vos faz passar se destinam a preparar-vos para poderdes cumprir esse fim, e, portanto, o *interesse d'Ele* para vossa conservação, progresso e aperfeiçoamento *é cumprirdes* voluntariamente a Sua Vontade para que tudo vos venha abundantemente e sem sacrifício de vossa parte.

Se tiverdes um conhecimento geral da Doutrina Oculta, sabeis que sois constituídos da forma seguinte:

1º) O vosso EU SOU, que é um fragmento do Espírito Divino, denominado o Cristo interno pelos esoteristas e o Superconsciente pela psicologia moderna.

2º) A vossa Mente Consciente, que é a sede de vossa Razão ou consciência exterior, também denominada Inteligência.

3º) A vossa Mente Subconsciente, que é a sede da memória e o depósito dos pensamentos, emoções e reações de vosso passado. Nela se acha acumulado tudo o que aprendestes de verdade e de erro em vosso passado.

4º) O vosso corpo físico.

São essas ideias acumuladas em vossa mente subconsciente que constituem o vosso *fardo*, porque elas vos levam a *esperar* sempre a repetição das más condições passadas, impedindo que as ideias novas e progressistas do Superconsciente penetrem na vossa consciência e recebam a sua expressão através de vossa mente consciente.

Transferirdes o vosso fardo ao Superconsciente ou Cristo interno é entregardes os vossos problemas ao Superconsciente para que ele os resolva e depois vos apresente a solução que deveis executar.

Ele pode dar-vos imediatamente a solução, porém, geralmente há alguma demora devido à vossa dificuldade em entrar em contato com ele.

O vosso EU SOU, ou Cristo interno, é o vosso deus pessoal ou a partícula divina em vós, a qual tem todas as qualidades de Deus e todos os poderes para realizar as vossas aspirações, desde que não sejam prejudiciais às dos outros fragmentos divinos.

As afirmações se destinam a fazer que o vosso Superconsciente manifeste suas forças criadoras; e, por isso, quanto mais convincente e apoiada nas leis universais for a vossa afirmação, mais poderosa e efetiva será.

Portanto, as afirmações baseadas nas palavras dos Mestres e, principalmente, dos profetas bíblicos têm grande força para impressionar o Superconsciente, porque elas são formuladas de acordo com as Leis Universais da Criação, desde o movimento inicial do Espírito, atuando sobre a Substância pela Palavra.

Para dirigirdes as forças de vosso Superconsciente e lhes imprimirdes a orientação conveniente, a principal coisa que deveis fazer é compenetrar-vos de que o vosso Superconsciente é uma entidade real que penetra cada fibra de vosso ser, uma como força elétrica e irradiante de vosso corpo.

Pela vossa concentração frequente sobre o lado superconsciente de vossa entidade, produzireis o despertar de vossa consciência, a qual vos fará sentir que um ente novo e superior está surgindo em vós, o qual dispõe de um poder ilimitado. É o vosso Cristo interno que se desperta em vossa consciência *e ao qual* podeis entregar toda a responsabilidade de vossa vida.

Ele atenderá, com a máxima perfeição, a todos os encargos que lhe confiardes e, no momento exato em que vos for necessário, tereis a solução do problema que lhe entregardes. Ao dirigir-vos ao Cristo interno, é preciso que tenhais uma ideia clara daquilo que pedis ou quereis que execute *e sintais* no vosso coração a vibração da força interna emitida por ele, pois se a vossa concentração for puramente mental ou mecânica, não conseguireis fazer que a vossa ideia ou pedido seja aceita pelo Cristo interno.

Quando fizerdes a vossa afirmação pela qual transferis para o vosso Cristo interno o peso de vossas responsabilidades materiais, deveis colocar-vos num estado mental calmo e tranquilo, e enquanto não conseguirdes pela vossa afirmação desfazer todo o estado mental agitado e emotivo, o vosso contato com Cristo não será perfeito e não podereis receber o que pedistes.

*O sentimento profundo de calma e tranquilidade absoluta durante o tempo em que fizerdes a vossa afirmação é prova certa de que vosso pedido foi atendido e as forças divinas entraram em ação para executá-lo.*

Na narração bíblica da história de Jacó, vemos que ele passou a noite inteira pelejando com o anjo para que o abençoasse e não o largou enquanto não recebeu a bênção, isto é, a prova de que seu pedido de proteção havia sido aceito.

Assim também quando pretenderdes obter alguma coisa do Cristo interno, não abandoneis o vosso pedido, enquanto ele não vos der um sinal de que foi aceito.

Esse sinal é um sentimento de *absoluta calma mental* e a *convicção* íntima de que a dificuldade está resolvida.

Quando tiverdes chegado a esse resultado, sentireis uma inefável vibração de Harmonia com tudo o que vos rodeia, um Amor profundo pela humanidade e pelos vossos "inimigos", o sentimento da mais perfeita Justiça reinará em vosso coração e a mais clara percepção da Verdade brilhará em vossa mente e, acima de tudo, tereis o completo alívio de vosso fardo.

## CAPÍTULO VII

# O Amor

> O ódio excita contendas, mas o amor cobre todas as transgressões.
>
> Provérbios, 10:12

> Amemo-nos uns aos outros, porque o amor é de Deus.
>
> 1ª Epístola de S. João, 4:7

Todos vós que habitais este planeta estais recebendo vossa iniciação no amor.

Assim disse o Cristo: "Um novo mandamento vos dou: que vos ameis uns aos outros".

Na sua obra *Tertium Organum*,* Ouspensky afirma que o amor é um fenômeno cósmico que abre ao ser humano o mundo da quarta dimensão, o *Mundo das Maravilhas*.

O amor verdadeiro é desinteressado e livre do temor. Ele se irradia para o objetivo da afeição sem exigir qualquer retribuição. Sua satisfação está no prazer de dar. O amor é Deus em manifestação e a mais poderosa força magnética do universo.

---

* Publicada pela Editora Pensamento, São Paulo, 1988.

O amor puro e desinteressado *atrai para si o que lhe* pertence; não tem necessidade de procurar ou pedir. Quase ninguém tem a menor ideia do que seja o verdadeiro amor. O ente humano é egoísta, tirânico ou receoso em seus afetos, perdendo assim as coisas que ama.

O ciúme é o pior inimigo do amor, pois perturba a imaginação, faz com que ela *veja* a pessoa amada atraída para outra e, se esse temor não for neutralizado, se expressará objetivamente.

O seguinte fato, narrado por uma esoterista, serve de exemplo. Escreve ela:

"Certa moça se dirigiu a mim em estado de profundo desespero, pois o homem a quem amava a havia abandonado por outras mulheres, dizendo que nunca pensara em casar-se com ela. Achava-se exasperada de ciúmes e ressentimento, e disse-me que esperava vê-lo sofrer tanto quanto a fizera sofrer, terminando com a pergunta: 'Como pôde abandonar-me, se eu o amava tanto?'

"Respondi-lhe: 'Bem, isso não é amor verdadeiro. *Quando expressardes o amor verdadeiro*, este vos será retribuído, quer por esse homem, quer por seu equivalente, pois, se não for o *escolhido divino*, não precisareis dele. Assim como estais unida a Deus, também estais unida ao amor que vos pertence por direito divino'.

"Passaram-se vários meses e as coisas continuaram na mesma. Entretanto, ela agia conscienciosamente sobre si mesma para modificar a sua atitude. Certa ocasião, disse-lhe: 'Quando deixardes de ficar perturbada pela ideia da crueldade dele, deixará de ser cruel, porque pelas vossas próprias emoções, estais atraindo essa crueldade'.

"Falei-lhe, então, de uma fraternidade existente na Índia, na qual nunca se saudavam dizendo: 'Bom dia'. Para se saudarem empregavam as palavras: 'Saúdo a Deus em vós'. Eles saudavam a Deus tanto nos homens como nos animais selvagens da floresta, e assim nunca eram molestados, pois *viam somente Deus em todo ser vivente*. Aconselhei-lhe o seguinte: 'Saudai a Deus nesse homem e afirmai: *Vejo apenas vosso ser divino. Vejo-o como Deus vos vê, perfeito, feito à Sua imagem e semelhança*'.

"Ela notou que se tornava mais calma e perdia gradualmente seu ressentimento. Ele era capitão e ela sempre lhe dava esse nome.

"Um dia exclamou repentinamente: 'Deus abençoe o capitão, onde estiver'.

"Respondi-lhe: 'Isso sim é verdadeiro amor, e quando vos tornardes um *círculo completo*, não ficando mais perturbada pela situação, alcançareis dele o amor e atraireis o seu equivalente'.

"Nessa ocasião, eu estava de mudança e não possuía telefone, de modo que fiquei fora de contato com ela durante algumas semanas; entretanto, esta manhã recebi uma carta sua, contendo apenas esta palavra: 'Casamo-nos'.

"Na primeira oportunidade, fiz-lhe uma visita, e minhas primeiras palavras foram: 'Que aconteceu?' Ela exclamou: 'Oh, um milagre! Certo dia despertei-me e notei que todo o meu sofrimento havia desaparecido. Na tarde daquele mesmo dia, o encontrei e pediu-me em casamento. Dentro de uma semana nos casamos, e posso afirmar-vos que nunca vi homem mais delicado'".

Uma antiga sentença iniciática diz o seguinte: *Ninguém é vosso inimigo, ninguém é vosso amigo, cada um é vosso instrutor.*\*

---

\* Vide *Luz no Caminho*, de Mabel Collins, Editora Pensamento, São Paulo, 1976.

O namorado daquela moça lhe estava ensinando o amor desinteressado, coisa que toda pessoa tem que aprender, cedo ou tarde.

Assim, pois, é preciso serdes impessoal e aprenderdes o que cada um tem a ensinar-vos e, quanto mais cedo aprenderdes vossa lição, mais depressa ficareis livre.

Não é necessário o sofrimento para vos desenvolverdes e aperfeiçoardes, e ele resulta sempre de terdes desobedecido à lei espiritual; porém, são poucas as pessoas que parecem poder sair do "sono da alma" sem passar por ele.

Quando as pessoas são felizes, geralmente se tornam egoístas e assim, automaticamente, a Lei do Carma entra em atividade. Amiúde elas perdem o que possuem por não saberem apreciá-lo e dar-lhe valor.

Um metafísico americano relata o seguinte caso que serve de ilustração para o princípio exposto:

"Conheci uma senhora que possuía um companheiro muito bom, ao qual não dava valor, pois dizia sempre: 'Não me importa casar-me, porém isso não depõe contra meu companheiro e quer dizer simplesmente que não tenho interesse pela vida conjugal'.

"Tinha outros interesses e quase nem se lembrava de que possuía um companheiro. Somente quando o via é que se lembrava dele. Um dia o companheiro disse-lhe que gostava de outra mulher e ia deixá-la. Desesperada e cheia de ressentimento, ela veio procurar-me.

"Após ouvi-la queixar-se, respondi-lhe: 'É exatamente para dar esse resultado que falastes aquelas palavras. Dizeis que não vos preocupáveis com o casamento, e assim vosso subconsciente agiu para deixar-vos sem ele'.

"Ela concordou: 'É verdade, agora compreendo. As pessoas alcançam o que procuram e depois se ofendem muito por não ser como julgam'.

"Entretanto, em pouco tempo harmonizou-se com a situação e reconheceu que eram muito mais felizes separados".

Quando a mulher se torna indiferente ao marido ou companheiro e põe-se a criticá-lo, deixa de ser uma inspiração e incentivo para ele, desaparece o estímulo de suas primeiras relações e ele se sente desanimado, infeliz. O seguinte exemplo, citado por uma esoterista americana, constitui uma boa ilustração do princípio:

"Um homem dirigiu-se a mim num estado de grande desânimo e tristeza. Sua mulher se interessara pela *Ciência dos Números* e fizera examinar o nome dele. Parece que a análise não foi muito favorável, pois ele informou-me: 'Minha mulher diz que nunca conseguirei alguma coisa, porque sou o número 2'.

"Respondi-lhe: 'Não me interessa qual seja o número de vosso nome; sois uma ideia perfeita na mente divina, e pediremos o êxito e a prosperidade que *foram planejados* para vós pela Inteligência Infinita'.

"Dentro de poucas semanas, conseguiu uma posição magnífica e, um ano ou dois mais tarde, obteve um brilhante êxito como escritor".

Não podeis obter êxito em vossos negócios sem amardes o vosso trabalho. A pintura que o artista faz por amor à arte é a maior obra por ele produzida. A rotina é sempre um meio de viver humildemente.

Ninguém pode atrair dinheiro, se o desprezar. Muitas pessoas permanecem na pobreza por terem o costume de dizer: "O dinheiro nada é para mim, e não aprecio as pessoas que o possuem".

Essa é a razão por que muitos artistas são pobres. Seu desprezo pelo dinheiro os afasta dele.

Lembro-me de ter ouvido um artista falar de outro: "Não é bom artista; tem dinheiro no banco". Essa atitude mental, sem dúvida, separa o indivíduo do seu suprimento. Para poder atrair uma coisa, é preciso que se esteja em harmonia com ela. O dinheiro é uma expressão de Deus como meio de suprir a necessidade e livrar da limitação, porém deve ser sempre posto em circulação e aplicação em coisas justas.

A avareza e a sovinice são terrivelmente vingativas. Isso não quer dizer que o indivíduo não deva possuir casas e riquezas, depósitos e valores porquanto diz o sábio que "os celeiros do justo são cheios"; significa que o indivíduo não deve ter receio de despender até o último real, quando isso for necessário. Gastando-o corajosa e alegremente, abre as portas para vir mais, pois Deus é o suprimento infalível e inesgotável de cada indivíduo. Essa é a atitude espiritual que deveis manter para com o dinheiro, não vos esquecendo que o Banco do Universo nunca falha! No filme americano intitulado *A Avareza*, temos um exemplo de sovinice. A protagonista havia ganho cinco mil dólares numa loteria e não queria gastá-los. Continuava a economizar e guardar o que podia do que recebia do trabalho, pois pensava que seu marido podia ficar doente e impossibilitado de trabalhar, e chegou a encerar casas para viver, sem nada tirar da fortuna que recebera. Apreciava o dinheiro por si mesmo, colocando-o acima de tudo. O fim, porém, foi que a assassinaram e roubaram-lhe todo o dinheiro.

Os casos como o desta peça servem de ilustração para a sentença: "O amor ao dinheiro é a origem de todos os males".

O dinheiro em si é bom e benéfico, porém, empregado para fins destrutivos, procurado e guardado avidamente ou considerado mais importante que o amor, produz moléstias, desastres e a perda do próprio dinheiro.

Segui o caminho do amor e tudo mais vos será acrescentado, pois *Deus é amor e ao mesmo tempo suprimento*; segui o caminho do egoísmo e da avareza, e vosso suprimento desaparecerá dele.

Uma senhora riquíssima, em lugar de aplicar os seus rendimentos em alguma coisa útil, os ia acumulando. Raramente dava alguma coisa e só gastava comprando objetos para guardar.

Gostava muito de gravatas e, a uma amiga que lhe perguntara quantas tinha, respondera: — "Sessenta e sete". Ela as comprava e guardava cuidadosamente envoltas em papel de seda. Se ela usasse as gravatas seria muito justo que as possuísse, porém as adquiria apenas para guardar, violando, assim, a "lei do uso". Suas gavetas estavam repletas de roupas que nunca usara e de joias que nunca haviam visto a luz.

Aconteceu que seus braços foram gradualmente endurecendo em consequência do seu apego aos objetos e, afinal, foi considerada incapaz de cuidar de seus próprios negócios e seus haveres foram entregues à administração de outros.

Portanto, é o próprio indivíduo que, na sua ignorância da lei, produz a própria destruição.

Toda moléstia, toda infelicidade provêm da violação da lei do amor.

As setas do ódio, ressentimento e crítica que o indivíduo envia, voltam para ele, trazendo-lhe moléstia e tristeza.

O cultivo do amor parece uma arte perdida, porém aquele que conhece as leis espirituais sabe que é preciso restabelecê-las, pois sem elas o indivíduo é como o bronze que soa ou o címbalo que retine.

Uma professora de Ciência Mental relata o seguinte caso que serve de exemplo ilustrativo:

"Tinha uma aluna que vinha mensalmente procurar-me para purificar-lhe a consciência de ressentimento. Passado algum tempo, chegou a um ponto em que só tinha ressentimento de uma mulher e, apesar do grande esforço e trabalho, não conseguira vencê-lo. Entretanto, foi pouco a pouco acalmando-se e harmonizando-se, até que, certo dia, todo ressentimento desapareceu. Quando veio ver-me, estava radiante de alegria e exclamou: 'Não podeis compreender como me sinto! Aquela mulher falou comigo e, em vez de ficar furiosa, permaneci amável e bondosa. Ninguém pode compreender como me sinto aliviada!' "

O amor e a bondade são de valor incalculável nos negócios. A mesma professora de Ciência Mental acima citada relata o seguinte caso:

"Uma senhora se dirigiu a mim, queixando-se de sua chefe. Disse-me que ela era dura, exigente e manifestara que não a queria sob suas ordens. Aconselhei-a, então: 'Muito bem, saudai a Deus nessa mulher e enviai-lhe sentimentos de uma mulher de mármore'. Repliquei-lhe: 'Estais lembrada da história do escultor que pediu um pedaço de mármore? Perguntaram-lhe por que o queria e respondeu: *Porque há um anjo no mármore* — e fez dele uma admirável obra de arte'. Respondeu-me: 'Muito bem, vou tentar'.

"Uma semana depois, voltou dizendo: 'Fiz o que me dissestes e agora a mulher é muito delicada comigo, tendo-me até levado a passear em seu automóvel' ".

Certas pessoas, muitas vezes, sentem remorsos por terem prejudicado a alguém, talvez, em tempos afastados. Embora não seja possível corrigir semelhante erro seus efeitos podem ser neutralizados, praticando, *no presente*, um ato de bondade com outra pessoa.

A esse respeito, diz o apóstolo S. Paulo: "Mas uma coisa faço, esquecendo-me das coisas que ficam para trás, e avançando para as que estão adiante, prossigo em direção ao alvo".

A tristeza, o pesar e o remorso destroem as células do corpo e envenenam a atmosfera mental do indivíduo.

Uma professora de metafísica narra os seguintes exemplos sobre atitudes mentais deprimentes:

"Uma senhora me disse: 'Tratai-me para ser feliz e alegre, pois a minha tristeza me faz tão irritável com os de minha família que continuo a criar mais carma na minha existência'.

"Pediram-me para tratar de uma senhora que chorava pela morte de sua filha. Neguei a crença na perda e separação e afirmei que Deus era para ela a alegria, o amor e a tranquilidade.

"Imediatamente voltou ao seu estado normal; porém mandou seu filho dizer-me que não continuasse o tratamento, porque se sentia *tão feliz e isso não era respeitável!*"

Assim é que a "mente mortal" gosta de apegar-se às suas tristezas e pesares.

Outrora julgava-se que se uma mulher não se preocupasse por causa de seus filhos, não era boa mãe. O medo que a mãe tem é a causa de muitas moléstias e acidentes que se dão para os seus filhos. Com efeito, *o medo forma um quadro vivo da moléstia ou situação temida, e esse quadro, se não for neutralizado, se objetivará*. Feliz da mãe que pode dizer, sinceramente, que coloca seus filhos nas mãos de Deus, e *sabe*, portanto, que são divinamente protegidos! Dessa forma, ela constrói ao redor deles uma grande aura protetora.

Certa mulher despertou-se repentinamente à noite, com o sentimento de que seu irmão estava em grande perigo. Em vez de entregar-se ao medo, pôs-se a fazer afirmações e a dizer: "O homem é uma ideia perfeita na Mente Divina e sempre se encontra em seu lugar certo; portanto, meu irmão está em seu lugar certo e é divinamente protegido". No dia seguinte, soube que seu irmão estivera muito próximo de uma mina que explodira, porém havia escapado milagrosamente.

Assim, cada qual é guarda de seu irmão (em pensamento) e todos devem saber que o objetivo de seu amor "habita no esconderijo do Altíssimo e descansa à sombra do Todo--Poderoso", podendo afirmar: "Nenhum mal te sucederá, nem praga alguma se aproximará de tua tenda".

O amor conjugal geralmente é acompanhado de grande terror, pois quase todas as mulheres nascem com a ideia mítica de uma mulher que lhe há de roubar o amor. Essa mulher recebe no subconsciente feminino o nome de "a outra". Entretanto, isso provém de que a mulher crê na dualidade e, enquanto ela visualiza interferência estranha, esta virá.

Ordinariamente, é muito difícil para a mulher ver-se amada pelo homem a quem ama, sendo, pois, muito útil que faça enérgicas e persistentes afirmações para que sua mente subsconsciente se convença da realidade da situação, porquanto *onde há verdadeiro amor, a unidade é perfeita.*

Uma boa afirmação para corrigir os ciúmes e manter o amor é a seguinte:

"A Luz do Cristo interno dissolve em mim todo temor, dúvida, ódio e ressentimento. O amor divino circula em mim, formando uma irresistível corrente magnética. Só vejo a perfeição e atraio o que é meu por lei divina".

O casamento, se não for efetuado sobre a base inabalável da unidade, não pode perdurar, embora possa ser mantido na sua aparência social.

Para ser uma verdadeira união espiritual, é preciso que corresponda às palavras de um poeta: "Duas almas com um só pensar, dois corações que pulsam uníssonos".

Se os esposos não viverem no mesmo plano de pensamentos, inevitavelmente se separarão.

O pensamento é uma tremenda força vibratória e cada qual será atraído para as criações de seu pensamento. Por exemplo:

Uma senhora casou-se com um homem a quem não amava, embora não desgostasse dele, e viveram algum tempo aparentemente felizes. O homem começou a prosperar e seus gostos se aperfeiçoaram, tornando-se mais delicado, instruído e social. Porém, sua esposa continuou a viver em sua consciência limitada. Quando ia fazer compras, escolhia sempre os artigos inferiores e mais baratos.

Enquanto ele vivia em pensamentos nos ambientes mais luxuosos e elevados, ela só se preocupava com coisas próprias do vulgo.

Afinal, chegou o dia da separação material.

Constantemente vemos isso no caso de homens que enriquecem e prosperam, terminando por abandonarem as suas fiéis e serviçais esposas, que não puderam acompanhá-los em seu progresso.

A mulher deve estar sempre em harmonia com os gostos e ambições de seu esposo, interessando-se pelos seus planos e ideias, pois o homem vai sempre para onde se dirigem os *pensamentos de seu coração.*

Para cada um de vós existe a "outra metade" por Deus escolhida para vosso complemento.

No plano do pensamento superior, sois um só, embora, no plano da existência terrestre, estejais separados pelos vossos erros.

É nesse plano que se pode dizer: "Aqueles que Deus uniu, ninguém pode separar", porque na mente superconsciente de cada um deles se encontra o mesmo Plano Divino.

Se tiverdes um sentimento íntimo de que viveis isolados e vos falta um *coração* que vos compreenda e ao qual possais desabafar vossos sentimentos, isso quer dizer que predomina em vós o sentimento de separatividade e que, antes de tudo, é preciso chegardes à realização da onipotência do Amor e de que tendes um companheiro silencioso ao vosso lado para escutar-vos e compreender-vos.

À proporção que cultivardes o sentimento da vossa unidade com a Vida e o Amor universal, ireis atraindo amizades e corações que vos compreenderão melhor e vosso sentimento de tristeza irá desaparecendo.

Fazei constantemente a afirmação de que sentis vosso coração repleto de amor de vosso Cristo interno e, em pouco tempo, deixareis de sentir-vos isolados, embora estejais só e vosso desejo de bons companheiros no plano material irá sendo satisfeito pela formação de amizades úteis e sinceras.

O "perfeito amor" é o cumprimento da Lei, porque todas as leis da existência têm por objetivo único a reconstituição da unidade primitiva, a qual só pode existir no amor universal.

Por esse motivo, o amor é o maior dissolvente de todas as desarmonias, embaraços e divergências, mas é preciso que seja inteiramente desinteressado e espontâneo.

Deus criou o mundo por Amor; para ter seres que o amassem voluntariamente, Ele vos convida a amá-LO e vos promete todas as alegrias e felicidades, mesmo na terra, desde que O ameis acima de tudo.

Amar a Deus não é renunciar aos gozos da vida, mas sim gozá-los com Deus e em obediência ao seu impulso ou sua voz, e de acordo com a sua Sabedoria e Vontade.

"O perfeito amor expulsa o medo. Aquele que tem medo, não é perfeito no amor. O amor é o cumprimento da lei".

Essas palavras da Bíblia mostram que a Harmonia e o Amor conduzem à Verdade e à Justiça, e que estas quatro colunas são os sustentáculos da felicidade e do bem-estar. Fazei delas a expressão de vossos sentimentos na vida diária, e tereis encontrado a chave do templo da felicidade presente e futura.

CAPÍTULO VIII

# A Direção Intuitiva

> Reconhece-O em todos os teus caminhos e Ele endireitará as tuas veredas.
>
> *Salmo, 3:6*

Nada será demasiadamente grande para realizardes, se conhecerdes o poder de vossa palavra e seguirdes a voz de vossa intuição. Pela vossa palavra, poreis em atividade forças invisíveis e conseguireis refazer vosso corpo ou remodelar vossos negócios. É, portanto, de suma importância que escolhais as palavras exatas e estabeleçais cuidadosamente a afirmação que desejais catapultar no invisível. Deveis saber que Deus é vosso suprimento, que há um suprimento para todo pedido, pois disse Jesus: "Pedi e recebereis".

Porém, é necessário que deis o primeiro passo.

Muitas vezes me perguntaram o modo mais certo de agir para obter resultados. Respondi: Afirmai o que quereis e não façais mais nada em relação a esse ponto, enquanto não receberdes uma orientação definida. Em seguida, pedi para serdes guiados, afirmando: "Espírito Infinito, revelai-me o caminho e fazei-me saber se devo fazer alguma coisa para conseguir aquilo que vos peço".

A resposta virá pela intuição ou inspiração — como, por exemplo, uma observação casual de alguém, um trecho de livro, etc. Essas respostas, às vezes, são extremamente exatas. Por exemplo, conta uma esoterista americana:

"Uma senhora desejava uma grande quantia de dinheiro. Fez seu pedido com as seguintes palavras: 'Espírito Infinito, abri o caminho para o meu imediato suprimento; que tudo o que é meu por direito divino seja por mim recebido em grande abundância'.

"Acrescentou, em seguida: 'Dai-me uma direção definida; fazei-me saber se tenho de fazer alguma coisa'.

"Recebeu imediatamente o pensamento seguinte: 'Dai cem dólares a F'. (Nome de uma senhora que a tinha ajudado espiritualmente.) Tendo-se dirigido a essa senhora, ela respondeu-lhe: 'Esperarei até terdes outra informação antes de me dardes o dinheiro'. Dispôs-se, pois, a esperar e, mais tarde, encontrou outra mulher que lhe disse: 'Hoje dei um dólar para uma pessoa; essa quantia era para mim um tanto como cem dólares para vós'.

"Essa informação constituía, na realidade, uma direção certa sobre o que devia fazer, de modo que ela compreendeu que era justo dar os cem dólares. Tal quantia foi uma dádiva que constituiu uma verdadeira colocação de dinheiro, pois, pouco tempo depois, recebeu de um modo extraordinário uma grande soma".

O dar abre caminho para o receber. A fim de produzirdes atividades em vossas finanças, deveis dar. O pagamento dos dízimos ou a distribuição de dez por cento dos lucros para as obras de caridade é um antigo costume judaico e, sempre que seja feito de coração, produz um aumento de negócios. Muitos dos maiores capitalistas americanos seguem essa prática, que afirmam nunca ter falhado.

A décima parte de vossos lucros, sendo assim distribuída em sementeira, volta para vós com a bênção dos beneficiados, e multiplicada. É indispensável, porém, que a dádiva seja feita com amor e alegria, pois "Deus ama a quem dá alegremente".

Deveis pagar com alegria as vossas dívidas; todo dinheiro que tiverdes de despender para os vossos compromissos e compras deve, sem receio, ser abençoado com um sentimento de alegria e abundância. Esta atitude mental vos tornará senhores do dinheiro e das vossas circunstâncias. Está em vossas mãos obedecerdes a estas regras e então as vossas palavras abrirão grandes reservatórios de riquezas.

Sois vós mesmos que limitais vossos suprimentos pela vossa curta visão espiritual. Podeis conseguir uma grande realização de riqueza, se, agindo sem receio, não impedirdes que ela se manifeste.

A vossa visão mental deve andar de mãos dadas com a vossa atividade, como fez aquele homem que gastou quase tudo na compra de um bom casaco.

Esta lei pode ser ilustrada pelo seguinte fato relatado por uma esoterista americana:

"Procurou-me uma senhora e pediu-me para fazer uma afirmação com o fim de que conseguisse uma posição. Então fiz o seguinte pedido: 'Espírito Infinito, abri o caminho de uma colocação justa, para esta mulher'. Nunca deveis pedir simplesmente uma colocação, mas sim a colocação justa para vós, o lugar que a Mente Divina escolheu para vós, pois esse será o único realmente satisfatório.

"Em seguida, dei graças como se ela já tivesse recebido e para que esse lugar se manifestasse rapidamente. Muito em breve, ela teve três ofertas, duas em Nova York e uma em Palm Beach (Estados Unidos), e ela não sabia qual desses lugares havia de preferir. Aconselhei-a a que pedisse uma direção definitiva.

"Estava para terminar o prazo e ela ainda estava indecisa, quando certa manhã me telefonou: 'Hoje, ao levantar-me, senti o perfume de palmeiras'. Ela já estivera em Palm Beach e conhecia a fragrância daquela cidade.

Respondi-lhe: 'Muito bem, se daqui sentis o perfume de Palm Beach, é porque certamente tereis que ir para lá'.

E ela aceitou aquela posição, na qual teve grande progresso e prosperidade".

Muitas vezes a direção intuitiva vos vem inesperadamente, como se vê pelo seguinte caso, relatado pela mesma esoterista:

"Certo dia, passava por uma rua, quando senti repentinamente um forte impulso para ir a uma padaria que se achava a um ou dois quarteirões acima. A minha razão resistia, discutindo: 'Lá não há nada de que precisais'.

"Entretanto, tinha aprendido a não raciocinar e dirigi-me para a padaria, entrei e lancei um olhar para tudo o que ali havia, nada encontrando de que precisasse; porém, ao sair, encontrei uma mulher em que pensara muitas vezes e que tinha grande necessidade do meu auxílio".

Vedes, portanto, que, muitas vezes, procurais uma coisa e encontrais outra.

A intuição é uma faculdade espiritual e não dá explicações, mas simplesmente *aponta o caminho.*

Quando alguém vos presta auxílio mental, muitas vezes recebereis indicação do que deveis fazer. A ideia que se apresenta pode, não raro, parecer fora de propósito, porém Deus, frequentemente, leva por caminhos misteriosos.

Uma instrutora esotérica relata que, certa ocasião, ao dar suas lições, tinha combinado com os alunos que cada um havia de receber uma orientação sobre a sua vida.

Terminada a aula, uma senhora se dirigiu a ela e disse: "Enquanto estávamos fazendo a concentração, tive a ideia de que devia tirar a minha mobília do depósito e alugar um apartamento". Ela fora para curar-se de uma moléstia. A instrutora respondeu-lhe que sabia que, tendo o seu lar, melhoraria de saúde, e acrescentou: "Creio que vossa moléstia, que é um estado congestivo, proveio de terdes guardado vossos móveis. O congestionamento das coisas produz congestões no corpo. Violastes a lei do uso e vosso corpo está pagando por isso".

"Portanto, agradeci a Deus pelo estabelecimento da ordem divina na mente, no corpo e nos negócios daquela senhora".

Não refletis quando os vossos negócios reagem sobre vosso corpo. Entretanto, é verdade que, para cada moléstia, existe um correspondente moral.

Pelas afirmações de que vosso corpo é uma ideia perfeita na Mente Divina, podereis obter cura instantânea de vossas moléstias, porém, se prosseguirdes em vossos pensamentos destrutivos de avareza, raiva, medo, crítica e condenação, a moléstia voltará.

Jesus Cristo sabia que toda moléstia provinha do pecado e, por isso, admoestou ao leproso, depois de curá-lo, que fosse embora e não pecasse mais, para não lhe acontecer coisa pior. Portanto, para que a cura seja permanente é preciso que a alma (a mente subconsciente) seja lavada completamente; e o estudante da ciência espiritual procure que essa correspondência seja perfeita no íntimo.

Disse Jesus Cristo: "Não condeneis para não serdes condenados e não julgueis para não serdes julgados". Muitas pessoas atraíram para si a moléstia e a infelicidade por terem condenado aos outros. Aquilo que alguém condena nos outros atrai para si.

Como exemplo, citarei um caso relatado por uma esoterista: "Certa pessoa, minha conhecida, achando-se nervosa e irritada pelo fato de seu marido tê-la abandonado por outra mulher, veio procurar-me. Ela condenava a outra e dizia continuamente: 'Ela sabia que ele era casado e não tinha direito de aceitar as suas atenções'.

"Respondi-lhe: 'Deixai de condenar aquela mulher; abençoai-a e concordai com a situação, porque, do contrário, atraireis a mesma coisa para vós'.

"Não deu ouvidos às minhas palavras e, um ano ou dois mais tarde, por sua vez, apaixonou-se por um homem casado".

Se criticardes e condenardes, estabelecereis uma corrente mental que vos arrastará para aquilo mesmo que julgais mais feio nos outros.

A indecisão é uma pedra de tropeço em vosso caminho. Para vencê-la, repeti amiúde a afirmação seguinte: — "Recebo continuamente a inspiração direta de Deus; tomo rapidamente decisões certas". Essas palavras se gravarão em vosso subconsciente, e logo vos darão uma disposição alerta, ativa e capaz de seguir o caminho reto, sem hesitação.

É coisa prejudicial e destrutiva pedir guia e direção aos entes do plano psíquico, onde reina a pluralidade de modos de pensar, e não a "Mente única e infalível".

Se abrirdes as vossas mentes para as influências subjetivas e entidades psíquicas, vos tornareis joguetes de forças destrutivas. O plano psíquico é conseqüência dos pensamentos terrenos da humanidade, sendo um "plano de atividades opostas". O indivíduo pode ali receber mensagens do bem ou do mal.

A numerologia e a astrologia são ciências reais, mas, como toda ciência material, não vão além do plano material dos efeitos e do carma e, se seguirdes as leis espirituais, podeis colocar-vos acima de suas influências.

Uma esoterista americana que devia ter morrido há muitos anos, de conformidade com o seu horóscopo, ainda vive e é chefe de um dos maiores movimentos para o progresso moral e espiritual da humanidade.

É preciso terdes uma mentalidade muito forte para neutralizardes uma predição de mal.

Dificilmente a vossa vontade e a vossa razão poderão lutar contra as forças fatais do plano psíquico, representadas pelas influências planetárias e as sugestões de um ambiente desfavorável; *porém, se anuirdes* vossa mente consciente ao Superconsciente, vossa vitória *será certa* e, nos momentos mais difíceis, um aviso intuitivo vos livrará de agirdes de um modo prejudicial. Para vencerdes essas influências, é preciso afirmardes: "Toda predição de mau acontecimento falhará; todo plano que não foi feito por meu Pai celeste será dissolvido e desfeito; só o que estiver determinado pelo ideal divino se realizará".

Todavia, quando vos for feita uma predição de felicidade, bem-estar ou riqueza, aceitai-a e esperai o resultado, o qual se manifestará pela lei da expectativa.

A vossa vontade deve ser aplicada em apoio da vontade universal. "Desejo que se faça a vontade de Deus" deve ser sempre o vosso lema de conduta.

É vontade de Deus que tenhais os justos desejos de vosso coração, e deveis aplicar a vossa vontade para manter em vosso pensamento a ideia da perfeição, sem duvidardes.

Disse consigo o filho pródigo: "Levantar-me-ei e irei para a casa de meu pai".

Com efeito, é necessário fazerdes um esforço de vontade para deixardes o lodaçal dos pensamentos terrestres. Para a maioria, é mais fácil ter medo do que ter fé; por isso, a fé exige um esforço de vontade.

À proporção que despertardes vossas forças espirituais, reconhecereis que toda desarmonia exterior é correspondente a uma desarmonia interna. Se tropeçardes e cairdes, é porque tropeçastes e caístes em vossa consciência.

Certo dia uma estudante de ocultismo, enquanto andava pela rua, estava criticando e condenando em pensamentos uma conhecida sua. Dizia mentalmente: "Aquela mulher é a mulher mais desagradável que existe na terra". Nesse momento, três escoteiros, ao dobrarem a esquina, foram de encontro a ela e a feriram gravemente. Lembrando-se do seu erro, em lugar de condená-los, ela fez imediatamente apelo à lei do perdão e *saudou a Deus* na mulher que antes condenara. Os caminhos da sabedoria são sempre agradáveis e cheios de paz.

Tendo feito vosso pedido ao Universal, deveis estar preparados para surpresas. Muitas vezes, tudo vos parecerá correr mal, porém, na realidade, está indo bem.

Por exemplo, referem que uma senhora ouvira falar que não havia prejuízo na Mente Divina, e, portanto, nada que lhe pertencesse podia perder; tudo o que tivesse perdido, ser-lhe-ia restituído ou teria seu equivalente.

Alguns anos antes, havia perdido dois mil dólares. Emprestara essa quantia a uma parenta que, ao morrer, não fizera menção do dinheiro no testamento. Ficou ressentida e irritada, e não tendo documento, nunca recebera o dinheiro. Por fim, resolveu negar a perda e receber os dois mil dólares do Banco do Universo. Teve que começar perdoando a mulher a quem emprestara o dinheiro, pois o ressentimento e a falta de perdão fecharam as portas desse banco maravilhoso.

Fez a afirmação seguinte: "Nego o prejuízo; não há perda na Mente Divina; portanto, não posso perder os dois mil dólares que me pertencem por direito divino. Quando uma porta se fecha, outra logo se abre".

Ela residia num prédio de apartamentos que estava à venda; nos contratos havia uma cláusula pela qual, se o prédio fosse vendido, os inquilinos teriam noventa dias de prazo para mudarem-se.

Repentinamente, o proprietário desrespeitou o contrato e aumentou o aluguel. Assim foi vítima de nova injustiça, porém, desta vez, não se perturbou. Abençoou o proprietário e disse: "Se o aluguel foi aumentado é porque serei mais rica, pois Deus é meu suprimento".

Novos contratos foram feitos para os novos aluguéis, porém, por um esquecimento divinamente determinado, a cláusula dos noventa dias não foi incluída.

Logo depois, o proprietário teve oportunidade de vender o prédio. Todavia, em consequência do engano dos últimos contratos, os inquilinos tiveram mais um ano de prazo.

O agente ofereceu a cada inquilino duzentos dólares para desocuparem o prédio. Diversas famílias saíram, porém três ficaram, inclusive essa senhora. Passaram-se uns dois meses, e o agente tornou a voltar. Dessa vez, disse à mulher: "Aceitais desfazer vosso contrato pela quantia de quinhentos dólares?" Ela havia proposto aos inquilinos, que tinham ficado, que agiriam de combinação, se lhes falassem novamente de mudança. Devia, pois, consultá-los. Estes responderam: "Se vos ofereceram quinhentos dólares, certamente vos darão dois mil". Assim, ela recebeu um cheque de dois mil dólares para sair daquele apartamento.

Este caso foi, certamente, um notável exemplo da ação da lei, e a injustiça aparente que lhe fizeram foi um meio de abrir caminho para o resultado. Ele prova que não existe prejuízo, e que, quando o indivíduo estabelece a sua base espiritual, recebe tudo o que lhe pertence do Grande Reservatório de Todo Bem.

"Restituir-vos-ei os anos que os gafanhotos comeram", disse o profeta Isaías.

Os "gafanhotos" são as dúvidas, os temores, os ressentimentos e os arrependimentos da mentalidade inferior. São esses os maus pensamentos que vos roubam, porquanto diz a sabedoria iniciática: "Ninguém dá para uma pessoa e ninguém lhe tira senão ela mesma".

Estais neste mundo para dardes provas de Deus e "testemunho da verdade", e só podereis dar provas de Deus fazendo surgir "a abundância da necessidade e a justiça da injustiça".

"Provai-me aqui neste momento — disse o Senhor dos Exércitos — se não vos abrirei as portas do céu e derramarei uma bênção, que não haverá lugar suficiente para contê-la".

A obediência à direção intuitiva é a coisa mais importante que tendes para a vossa orientação na vida, e sem ela, passareis a vossa existência no erro e no insucesso.

Estais habituado a pedir orientação à vossa mente consciente, porém, esta só pode orientar-vos de acordo com as experiências do passado. O futuro, todavia, não depende daquelas, e circunstâncias imprevistas podem alterar completamente os vossos planos.

Entretanto, se seguirdes a voz da intuição, isto é, a direção dada por vosso Cristo interno sobre o que deveis fazer, jamais caireis em erro.

Exemplo: um filiado no Círculo Esotérico tinha todo o seu capital colocado numa Companhia. Correndo, um dia, os olhos pelo jornal, veio a saber que essa Companhia estava em falência, e essa notícia o deixou muito aflito, impedindo-o de dormir aquela noite. Entretanto, lutou para acalmar-se e fez com persistência a afirmação seguinte: — "Confio no Supremo Espírito do Bem. O que for verdadeiramente meu, ninguém me pode tirar".

No dia seguinte, levantou-se mais cedo, para ir à casa do diretor da Companhia e, apesar de ter perguntado à sua esposa se tinha alguma ideia do que devia fazer ou dizer, resolveu dirigir-se a ele sem ter noção alguma do que havia de falar. Ao descer do bonde, em frente da casa para a qual se dirigia, recebeu uma ideia clara do que lhe convinha expressar.

Ao recebê-lo, o diretor manifestou a mesma ideia que ele recebera intuitivamente e, assim, foi fácil ao nosso irmão convencê-lo a assinar um documento garantindo-lhe o capital, que depois lhe foi restituído gradualmente.

Pode-se demonstrar facilmente que recebeis vossas melhores ideias do plano superconsciente, ou de vosso Cristo interno, e é fato conhecido que ninguém realizou grandes coisas no mundo, sem ter estado em contato frequente com esse plano.

Se vos habituardes a manter vossa mente em contato com o Cristo interno, em intervalos frequentes, nunca vos faltarão as ideias necessárias para a realização de vossas aspirações.

Sejam quais forem as vossas dificuldades, descobrireis invariavelmente os meios de vencê-las completamente. Todas as vezes que vos encontrardes numa situação difícil, procurai, antes de tudo, entrar em contato com o vosso Cristo interno e receber dele a indicação do que *deveis fazer* para resolverdes bem a vossa dificuldade. Assim evitareis complicar a vossa situação e perder tempo numa orientação errada, cujas consequências não podeis prever.

O conhecido escritor americano Henry Morgan relata numerosos casos de direção intuitiva, entre os quais citarei os seguintes:

"Ao terminar uma reunião em que havia falado sobre o tema: *Para encontrardes vosso próprio Centro Divino*, um inventor se dirigiu a mim e disse: 'Tive uma admirável experiência esta manhã. Enquanto vos escutava, a parte mais complicada de uma invenção sobre a qual havia trabalhado meses se tornou clara para mim'. Uma senhora que se achava próxima ouviu aquelas palavras e disse: 'Coisa extraordinária! Devo dizer ao senhor Morgan que, ao ouvi-lo, recebi a inspiração para o plano de três novelas, parecendo-me que as estava escrevendo, pois a inspiração me parecia coisa passada".

Os conselhos e fatos que vos tenho apresentado aqui para orientar-vos na conduta que deveis ter, de acordo com as leis espirituais deixadas por Jesus Cristo e confirmadas pelos esoteristas modernos, se destinam, por assim dizer, a tornar para vós palpáveis os efeitos das silenciosas Forças Espirituais, por cujo intermédio conseguireis realizar todas as vossas aspirações, sem prejuízo para ninguém, e sempre no mais perfeito acordo com as leis da Harmonia, do Amor, da Verdade e da Justiça.

CAPÍTULO IX

# O Plano Divino de Vossa Existência

> Nenhum vento pode desviar a minha barca,
> nem mudar a maré do meu destino.

Para cada um de vós existe uma expressão pessoal perfeita, um lugar que ninguém pode ocupar, algo que deveis fazer e ninguém pode executar; é o vosso destino, o desígnio divino de vossa existência, o plano que tendes de executar para satisfazer o motivo para o qual Deus vos criou. Esse plano que deveis executar se acha na Mente Divina como ideia perfeita, à espera de que o reconheçais. Sendo a imaginação a vossa faculdade criadora, é preciso que vejais mentalmente a ideia, para poderdes manifestá-la. Assim, pois, o mais elevado pedido que podeis fazer é o do conhecimento de vosso divino desígnio na vida.

Podeis não ter atualmente a mínima concepção do que possa ser, porque poderão estar ocultos, em vosso íntimo, maravilhosos talentos e possibilidades.

Vosso pedido deve ser: "Espírito Infinito, abri o caminho para manifestar-se o divino desígnio de minha vida; que se desperte o gênio que está dentro de mim; que eu veja claramente o plano perfeito que devo seguir". O plano perfeito de vossa vida inclui saúde, prosperidade, amor e expressão perfeita de vós mesmos. Essa é *a esquadria da vida*, que produz perfeita felicidade.

Quando tiverdes feito esse pedido, dar-se-ão grandes mudanças em vossa vida, pois pode dizer-se que não há ninguém que não tenha errado e se desviado muito do seu destino divino, isto é, do lugar para o qual Deus o criou.

Uma esoterista diz que, no caso de uma senhora que conhecia, foi como se um ciclone varresse seus negócios, porém, o reajustamento veio logo, e condições novas e admiráveis tomaram o lugar das anteriores.

Somente quando descobrirdes o desígnio divino a vosso respeito, podereis expressar-vos livremente e de um modo perfeito. A vossa perfeita expressão própria nunca é um trabalho árduo, estafante, mas sim uma ocupação tão incessante e absorvente que vos parecerá quase um brinquedo. Deveis saber que, assim como Deus vos dá o sustento ao entrardes neste mundo, também nunca vos faltará o *suprimento* necessário para a vossa perfeita expressão.

Muitos gênios lutaram, durante anos, com o problema do suprimento, porém, se tivessem aplicado sua palavra e sua fé, teriam produzido rapidamente os fundos necessários.

Por exemplo, uma professora de esoterismo relata o seguinte:

"Certo dia, depois de ter passado a minha lição, um dos meus alunos me ofereceu um cêntimo. Ao fazê-lo, disse-me: 'Tenho exatamente 7 cêntimos neste mundo; dou-vos um, pois tenho fé nas palavras que proferistes. Desejo que profirais algumas palavras para a minha perfeita expressão própria e prosperidade'".

Para cada um de vós existe uma expressão perfeita, somente na qual poderá obter felicidade. Para uma senhora a expressão perfeita pode ser o tornar-se uma perfeita esposa, mãe, dona de casa e não necessariamente conseguir carreira pública.

Pedi uma orientação definitiva e vosso caminho se tornará fácil e próspero.

Não deveis visualizar ou forçar uma pintura mental do que quereis ser. Ao pedirdes que o desígnio divino se apresente à vossa mente consciente, recebereis fagulhas de inspirações e começareis a ver-vos obtendo grandes realizações.

Essa é a pintura ou ideia que deveis manter sem vacilar. A coisa que procurais está à vossa procura — *o telefone procurava Bell!*

*Os pais nunca devem impor aos seus filhos carreiras ou profissões que devem seguir.* Com um conhecimento da verdade espiritual, pode-se pedir para conhecer o desígnio divino desde a mais tenra idade ou mesmo antes do nascimento.

As mães podem empregar a afirmação seguinte:

"Que Deus tenha perfeita expressão nesta criança; que se manifeste, em sua vida e na eternidade, o desígnio de sua mente, corpo e negócios".

Em todas as Escrituras encontramos o mandamento: "Seja feita a vontade de Deus e não a nossa; realize-se o modelo divino e não o humano".

A Bíblia, mais do que nenhuma outra, mostra que esse é o meio de libertar a alma material. As batalhas nela descritas são quadros das guerras que o homem deve fazer contra os pensamentos mortais. Diz o texto sagrado: "Os inimigos do homem são os de sua própria estirpe", isto é, os seus próprios pensamentos.

Todo indivíduo é como Josafá ou Davi, que matou Golias, o pensamento mortal, com uma pedrinha branca: a fé. Por isso, deveis ter o cuidado de não serdes como o "servo mau, preguiçoso", que enterrou seu talento. Como ele, pagareis uma terrível penalidade por não empregardes vossas capacidades.

Muitas vezes poderá ser o medo que vos impede de ter uma perfeita expressão própria. O temor do público foi a ruína de mais de um gênio. Podeis vencê-lo por meio de vossas afirmações ou tratamento mental. Dessa forma, perdereis toda consciência de vossa personalidade, toda timidez, *e sentireis que sois um canal para expressão da Infinita Inteligência*. Estareis sob a inspiração direta, não temereis coisa alguma e vossa confiança será absoluta, pois sentireis que é o "Pai Interno que faz as obras".

Uma professora de metafísica refere o seguinte:

Um jovem assistiu um bom número de vezes às minhas aulas, em companhia de sua mãe, e pediu-me que afirmasse que se sairia bem nos exames. Disse-lhe que fizesse a afirmação: "Sou uno com a Infinita Inteligência. Sei tudo o que devia saber sobre o assunto". Ele estava bem preparado em história, porém temia ser malsucedido em aritmética. Encontrando-o depois dos exames, disse-me: "Fiz a afirmação para sair-me bem na aritmética e passei com a melhor nota; porém pensei que podia confiar em meus conhecimentos de história e, no entanto, tive nota baixa".

Por motivos vários, uma senhora não podia deixar de representar, à mesma noite e quase à mesma hora, uma peça num teatro e cantar numa sociedade artística, sendo aquela a sua noite de estréia em ambos os ramos da arte. Pediu-me que a auxiliasse e aconselhei-a que mantivesse o pensamento de que o seu Superconsciente sabia como havia de conseguir isso e a guiaria seguramente na execução e desempenho de seu papel.

Com efeito, ela representou no teatro, obtendo grandes aplausos e, dez minutos depois, foi muito ovacionada pela assistência da sociedade artística.

*Quando o indivíduo tem muita confiança em si mesmo* e no seu conhecimento pessoal, esperando mais de sua personalidade do que do "Pai Interno", ou Superconsciente, muitas vezes obtém um resultado contrário à sua expectativa.

A mesma professora de metafísica cita o seguinte exemplo:

"Uma aluna minha ofereceu-me um exemplo de ter mais confiança nas suas capacidades pessoais do que em Deus. Fez uma viagem ao estrangeiro, visitando muitos países, cujas línguas ignorava. A todo momento, pedia direção e proteção espiritual, e seus negócios correram bem, com facilidade e como que milagrosamente. Sua bagagem nunca se extraviou, nem teve atrasos! Sempre encontrou boa acomodação nos melhores hotéis, e, por toda parte, foi muito bem atendida. Afinal voltou para Nova York. Sabendo a língua e conhecendo bem o ambiente, julgou que não mais precisava de Deus, tratando, assim, dos seus negócios da maneira usual. O resultado foi que *tudo lhe correu mal*, suas malas atrasaram e seus negócios foram envolvidos em desarmonia e confusão".

Vedes, portanto, que deveis adquirir o hábito de "praticar a Presença de Deus" a todo momento. "Em todos os teus caminhos, reconhece-o", diz a Bíblia, pois nada é tão insignificante ou tão grande para deixardes de fazê-lo.

Às vezes, um pequeno incidente pode ser o ponto de mudança de toda a vossa vida.

Roberto Fulton, observando a água a ferver numa chaleira, descobriu o vapor!

Muitas vezes, tenho visto as pessoas impedirem os resultados desejados pela resistência ou determinação de seguir um caminho pessoal.

"Deveis seguir o meu caminho e não o vosso!" — é o mandamento da Infinita Inteligência, e se quiserdes obter resultados de vosso estudo das leis espirituais, é preciso que observeis essa lei divina.

Como todas as forças, o vapor ou a eletricidade, a Força Espiritual deve encontrar uma máquina ou instrumento não resistente e fácil de movimentar, para poder agir e manifestar-se materialmente. Se quiserdes podereis ser esse instrumento!

Repetidas vezes, o indivíduo recebe ordens para *aquietar--se*. Assim diz o *Segundo Livro de Crônicas*, cap. 20, versículos 15 e 17: "Ouvi todos vós, povo de Judá... Não tenhais medo... Amanhã saí-lhes ao encontro, pois o Senhor está convosco... Nesta batalha não tereis que pelejar, postai-vos, ficai parados, e vede a salvação que o Senhor vos dará".

A mesma coisa encontramos no incidente dos dois mil dólares que a inquilina recebeu por meio do proprietário, quando se tornou *não resistente e calma,* assim como no caso da mulher que reconquistou o amor "depois que cessou o seu sofrimento".

A meta que tendes a alcançar é o Equilíbrio, a Calma! *Equilíbrio* é Poder, pois dá às forças divinas a oportunidade para se expressarem por vosso intermédio, "de acordo com sua vontade e beneplácito".

Na calma, pensais com clareza e tomais "decisões justas com rapidez", assim nunca perdeis uma boa saída.

A raiva embaraça a vista, envenena o sangue, dá origem a moléstias e produz decisões errôneas, que levam ao insucesso. Foi denominada o pior "pecado", porque a sua reação é muito prejudicial.

Deveis saber que, na metafísica, a palavra pecado tem um sentido muito mais vasto do que na religião popular. "Tudo o que não pertence à fé é pecado".

Podereis verificar que o medo e a ansiedade são pecados mortais. São a fé aplicada inversamente e, por meio de pinturas mentais desvirtuadas, fazem que sucedam as coisas temidas. Vosso trabalho consiste em expulsardes esses inimigos, que estão alojados em vossa mente subconsciente. "Quando o homem *não tiver mais medo, será perfeito*". Disse Maeterlinck que "o Homem é Deus atemorizado!"

Como disse num capítulo anterior, só podereis vencer o medo se enfrentardes aquilo que temeis. Quando Josafá e seu exército se prepararam para enfrentar o inimigo, cantando: "Louvores a Deus, pois sua mercê perdura para sempre", notaram que os seus inimigos se tinham destruído mutuamente e não havia a quem combater.

Por exemplo, uma senhora pediu a uma amiga que desse um recado a outra amiga. Tinha receio de transmitir esse recado, e a sua razão lhe dizia: "Não te envolvas nesse negócio; não dês o recado". Isso perturbava-lhe o espírito, pois prometera dar o recado. Por fim, resolveu falar e pedir proteção divina para não se sair mal. Encontrou a amiga a quem devia dar o recado, abriu a boca para falar, quando, antes de o fazer, ouviu-a dizer: "Fulana saiu desta cidade". Em vista disso, não era mais necessário dar o recado, pois o resultado dependia da presença da pessoa que a mandara. Como fora desejo dela transmiti-lo, não era obrigada a fazê-lo, e como não teve medo, a situação se desfez.

Muitas vezes podeis atrasar o vosso pedido por acreditardes que não está completo. Para corrigir isso, é preciso que façais a seguinte afirmação: "Na mente Divina tudo é completo e, portanto, o meu pedido também. Meu trabalho é perfeito, o meu lar é completo, a minha saúde é perfeita".

Tudo o que pedis é uma ideia perfeita registrada na Mente Divina e deve manifestar-se "pela graça e por meios perfeitos e justos". Deveis dar graças, por terdes recebido no invisível e fazer ativos preparativos para recebê-lo no visível.

Uma instrutora de metafísica apresenta o seguinte fato para ilustrar essa lei, que tive ocasião de comprovar várias vezes:

"Uma das minhas alunas tinha necessidade de ser atendida num pedido que nunca fora satisfeito completamente.

"Respondi-lhe: 'Talvez tenhais o costume de deixar as coisas por terminar, e o subconsciente adquiriu o hábito de não completar a manifestação, pois o interior e o exterior se correspondem'.

"Ela replicou: 'Tendes razão. Geralmente, *começo as coisas e nunca as termino*. Irei para casa e acabarei alguma coisa que comecei há algumas semanas e tenho a certeza de que isso simbolizará a finalização do meu pedido'.

"Pôs-se a costurar ativamente e logo terminou o serviço começado.

"Logo depois, recebeu o dinheiro de um modo extremamente curioso. Seu marido recebeu dois ordenados naquele mês e, tendo comunicado o engano à pagadoria, responderam-lhe que ficasse com ele".

*Se pedirdes, crendo que já recebestes, haveis de receber, pois Deus cria os caminhos para vo-lo dar!*

Muitas vezes perguntaram: "Suponhamos que alguém tenha vários talentos; como deve saber qual deles preferir?" Pedi que vo-lo indiquem definidamente. Afirmais: "Espírito Infinito, dai-me uma direção definida; revelai-me o caminho da minha perfeita expressão própria; indicai-me qual dos meus talentos devo empregar agora".

Conheci pessoas que entraram repentinamente em uma nova linha de trabalho e, com pouco ou nenhum treino, ficaram preparadas para ele. Fazei, portanto, a afirmação: *Estou plenamente preparado para o plano divino de minha vida*, e não tenho temor algum em aproveitar as oportunidades.

Há pessoas que dão com muito boa vontade, mas custam a aceitar. Recusam receber dádivas e presentes, por orgulho ou outro motivo negativo, fechando, assim, os canais que receberam de Deus, e invariavelmente se veem, um dia, com pouca coisa ou sem nada.

Uma mulher que dera muito dinheiro aos outros, recusou receber um presente de vários mil dólares, dizendo que não precisava dele. Pouco tempo depois, viu-se com as finanças atrapalhadas e com dívidas.

A lei é dar com liberalidade e receber com gratidão.

O equilíbrio entre o dar e o receber é sempre perfeito e, embora seja vosso dever dar sem pensardes na retribuição, desobedeceis à lei se não aceitardes a retribuição que for oferecida.

Com efeito, toda dádiva é de Deus, sendo o homem apenas um canal para ela.

Quando alguém vos der uma coisa, não deveis pensar que possa fazer-lhe falta — e que é pobre. Quando recebeu um cêntimo do homem que tinha apenas sete, a instrutora de metafísica não disse: "Pobre homem, não me pode dar mais". O que fez foi mentalizá-lo rico, próspero e recebendo abundante suprimento. Foi esse pensamento que trouxe a abundância.

Se estais acostumados a receber a contragosto, deveis modificar-vos e receber de boa vontade até um selo que vos seja fornecido, pois assim abrireis o caminho para receberdes de Deus.

Deus ama tanto aquele que recebe alegremente como aquele que dá com satisfação.

Muitas vezes, perguntaram-me por que é que um nasceu rico e o outro pobre e doentio. Todo efeito tem sua causa; o acaso não existe. A lei da reencarnação responde a essa questão. O homem passa por muitos nascimentos e mortes, até conhecer a verdade que o libertará. É atraído para o plano terrestre pelos seus desejos insatisfeitos, para pagar dívidas cármicas ou para "cumprir o seu destino".

O homem que nasceu rico e sadio gravou no seu subconsciente, em sua vida passada, imagens de saúde e riqueza; ao passo que o pobre e doentio imprimiu imagens de moléstias e pobreza. O homem manifesta, em qualquer plano, a soma total de suas crenças subconscientes. Entretanto, o nascimento e a morte são leis humanas, porquanto o "salário do pecado é a morte", devido à queda da consciência de Adão pela crença em dois poderes. O homem real, o homem espiritual não nasce, nem morre! Nunca nasceu, nem morreu. "Como era no princípio, é agora e será sempre!"

Assim, pois, pelo conhecimento da verdade, o homem se liberta da Lei do Carma, pecado e morte, manifestando o homem "feito à imagem e semelhança de Deus".

A libertação do homem provém do cumprimento do seu destino, manifestando o divino desígnio de sua vida. Então o Senhor lhe dirá: "Fizeste bem, servo bom e fiel. Foste fiel em pouca coisa; far-te-ei governador de muitas outras coisas, até da própria morte. Entra na alegria do Senhor (a vida eterna)".

*Da mesma forma que na bolota se acha uma perfeita miniatura do carvalho, o modelo divino de vossa vida se acha na vossa mente superconsciente.*

No Desígnio Divino de vossa existência não existe limitação, mas sim saúde, riqueza, amor e perfeita expressão própria.

O caminho que deveis seguir para vossa felicidade já se acha escolhido por Deus. Deveis viver diariamente de acordo com esse Plano Divino, para não sofrerdes reações desagradáveis.

Eis um exemplo referido por uma esoterista americana:

"Uma senhora mudou-se para um novo apartamento e quase já o havia mobiliado completamente, quando teve a seguinte ideia: 'Deste lado da sala devo colocar um gabinete chinês!'

"Pouco tempo depois, passou em frente de uma loja de antiguidades. Olhou para dentro e viu um magnífico gabinete chinês, todo entalhado. Entrou e perguntou o preço. O comerciante disse que valia mil dólares, porém, a proprietária o daria por menos. Acrescentou: 'Quanto ofereceis por ele?' A mulher pensou e veio-lhe à mente o preço de duzentos dólares, e, assim, respondeu: 'Duzentos dólares'. O comerciante prometeu avisá-la, se a oferta fosse aceita.

"Ela não queria aproveitar-se de ninguém ou possuir uma coisa que lhe viesse por modos injustos, por isso repetiu muitas vezes: *Se for meu, não poderei perdê-lo; e se não for meu, não o quero*.

"Naquele dia, a cerração era muito intensa, e ela dava força às suas palavras, abrindo caminho para chegar ao apartamento.

"Passaram-se alguns dias, até receber a notícia que a proprietária vendia o gabinete por duzentos dólares".

Para cada pedido há um suprimento, por maior que seja. "Antes de chamardes, vos responderei", porém, se não for o objeto escolhido que pedirdes, nunca vos dará felicidade. "Não sendo o Senhor que constrói a casa, em vão trabalham os que a constroem", diz o Salmo 127.

Vedes, portanto, a importância de procurardes conhecer o Divino Desígnio em todas as coisas de vossa vida: ocupação, negócios, amor, finanças, etc.

Quando estiverdes em dúvidas se deveis persistir num desejo ou não, fazei a seguinte afirmação: "Abandono tudo o que não for divinamente destinado para mim, e o plano perfeito de minha vida se manifesta".

Se vosso desejo estiver de acordo com a vontade divina, tereis algum sinal da realização dele; do contrário, ele desaparecerá como por encanto.

Se vosso desejo se referir a um lugar ou colocação que almejais, afirmai: "O Divino Desígnio de minha vida se apresenta agora. Ocupo o lugar que me foi designado por Deus e ninguém mais pode ocupar. Faço coisas que estou apto para fazer e ninguém mais poderá fazer". Assim procedendo, evitareis de ocupar um cargo para o qual não estais preparados ou que não vos agrada.

Procurando compreender as leis espirituais aqui expostas e seguir a direção interna, sereis guiados pela Suprema Inteligência através das complicações da vida material, chegando ao reino da Harmonia, do Amor, da Verdade e da Justiça manifestadas na paz, na abundância e no bem-estar geral.

CAPÍTULO X

# A Felicidade

> *Tudo responde ao chamado da alegria; tudo se reúne onde a vida é um canto.* Esta é a mensagem da nova vida, da nova ordem, e dos novos tempos. É o texto áureo do grande Evangelho do esplendor humano. É a verdade central da sublime filosofia da existência que declara que o maior bem é a felicidade e que o céu está neste mundo.
>
> Cristiano D. Larson

A felicidade pode ser designada pela síntese das aspirações humanas. No admirável filme *O Ladrão de Bagdá*, vimos escrito em letras luminosas que a *felicidade deve ser conquistada!* Ela é conquistada pelo perfeito domínio da natureza emotiva.

Não pode haver felicidade onde existe o medo, a apreensão ou o receio.

Quando *souberdes* que existe um *poder invencível* que vos protege e a tudo o que amais, realizando todo desejo justo de vosso coração, a vossa tensão nervosa desaparecerá completamente e vivereis felizes e satisfeitos.

Não vos perturbareis mais pelas aparências contrárias, *sabendo que a Inteligência Infinita* protege os vossos interesses e aproveita todas as condições para fazer-vos bem. "Farei um caminho no deserto e nos rios do ermo".

A aflição perturba a mente que guarda rancor. A raiva, o ressentimento, a maldade, o ciúme e o desejo de vingança roubam ao indivíduo a felicidade e lhe deixam a moléstia, o insucesso e a pobreza.

O ressentimento arruinou mais lares do que o álcool e matou mais indivíduos do que a guerra. Seus efeitos perniciosos podem ser vistos no seguinte fato:

Havia uma senhora que era sadia e que se casara com o homem a quem amava, vivendo feliz. O marido morreu e deixou parte de seus bens a um parente. Ela encheu-se de ressentimento, em pouco tempo emagreceu, adquiriu pedras nos rins e ficou muito mal.

Um metafísico que a conhecia disse-lhe: "Senhora, vede o que o ódio e o ressentimento vos fizeram; eles produziram a formação de pedras em vosso corpo e somente o perdão e a bondade podem curar-vos".

A senhora compreendeu a Verdade da afirmação. Harmonizou-se e perdoou, readquirindo sua esplêndida saúde.

A um indivíduo que era diabético e se queixava constantemente do regime que o médico lhe dera e de precisar semanalmente fazer exame de urina, aconselhei que abandonasse o regime e o tratamento médico e orasse pelos vizinhos, pedindo a Deus que os abençoasse, pois vivia em contínua desarmonia com eles; depois de duas semanas, os sintomas da moléstia tinham desaparecido, e a análise, feita num período de seis meses, revelou urina normal.

Para ser feliz, o homem precisa ter certeza da estabilidade de sua vida, e essa certeza só pode ser dada pelo sentimento de segurança que resulta da consciência da presença do poder interno e da sua direção infalível.

Junto ao vosso caminho encontrareis sempre o aviso ou a indicação que deveis seguir. Basta abrirdes vossos olhos espirituais para vê-lo.

Certa senhora estava muito aflita sobre uma situação desagradável e pôs-se a pensar: "Aclarar-se-á isto um dia?" A criada, que se achava ao lado dela, pôs-se a relatar fatos que lhe tinham sucedido. Conquanto estivesse muito aborrecida para tomar interesse, pôs-se a ouvir pacientemente. Dizia a moça: "Um tempo trabalhei num hotel, onde havia um jardineiro muito alegre que vivia continuamente contando histórias engraçadas. Chovera durante três dias e perguntei-lhe então: 'Julgais que se aclarará o tempo?' Respondeu-me: 'Se Deus quiser, pois não se aclara sempre?' "

A senhora ficou admirada! Era a resposta aos seus pensamentos. Exclamou, pois, reverentemente. "Com Deus, sempre se aclara!" Pouco tempo depois, o seu problema se resolveu e de forma inesperada.

No jogo da vida, a felicidade opõe-se sempre ao amor-próprio e onde um se encontra o outro jamais aparece.

Quando o indivíduo resolve sacrificar a sua razão carnal e o seu orgulho à direção do Superconsciente, a felicidade está próxima.

Aquilo que vos repugna ou que odiais, certamente vos virá, porquanto, pelo ódio, formais uma imagem viva, na vossa mente subconsciente, e ela a reproduzirá no plano material. O único meio de apagardes essas imagens é pela não resistência.

Por exemplo: uma senhora tinha interesse por um homem que amiúde lhe falava de suas encantadoras primas. Ela ficou enciumada e ressentida, perdendo a afeição dele.

Mais tarde, encontrou outro homem para o qual se sentiu muito atraída. Durante a conversa, ele mencionou algumas primas, das quais gostava muito. Ela ressentiu-se, porém, logo pôs-

-se a rir, pois ali estavam as suas antigas amigas, "as primas". Nessa vez, aplicou a não resistência. Abençoou a todas as primas do Universo e enviou-lhes bons pensamentos, pois compreendeu que, se não o fizesse, todo homem que encontrasse teria "primas" sobre as quais havia de falar-lhe.

Assim procedendo, venceu, pois nunca mais ouviu falar em primas.

É por esse motivo que as experiências desagradáveis se repetem tantas vezes na vida de certas pessoas.

Conheci uma senhora que vivia contando por toda parte seus aborrecimentos. Andava espalhando para todo mundo: "Sei o que é sofrimento!" — e ficava esperando palavras de simpatia.

Certamente, quanto mais mencionava os seus aborrecimentos, mais os aumentava, porque por suas palavras "era condenada".

Devia ter empregado suas palavras para neutralizar seus aborrecimentos e não para multiplicá-los.

Se tivesse dito repetidas vezes: "Transfiro o meu fardo ao Cristo interno e caminho livremente", não falando em seus aborrecimentos, estes se teriam apagado de sua existência, porquanto pelas *vossas palavras sereis justificados*.

Para provar-vos que é absolutamente verdade que podeis fazer de vossa vida material aquilo que quiserdes, tornando-a feliz e próspera, citarei o exemplo da senhora Frances Larimer Warner. Diz ela numa carta escrita a outra estudante de ocultismo:

"Acabo de chegar de uma viagem, encontrando vossa carta no dia 2 e outras cartas que reclamavam a minha atenção. Respondo vossa carta conforme vou lendo-a.

"Em primeiro lugar, falais sobre o *espírito prisioneiro*, etc. Fiquei viúva aos vinte e oito anos, com uma criança pequena, e perdi tudo o que possuía em loucas especulações na Califórnia. A minha crença na pobreza e a falta de um lar me privaram de todo conforto até que, recentemente, pedi o meu direito divino a todo Bem, e o consegui, não por uma afirmação constante, mas por um método próprio, descoberto após dez anos de meditação, quase constante concentração e experiências sobre a Lei. Ofereço espontaneamente os resultados.

"Em resposta à vossa pergunta, direi que *não mais era moça e não tinha sorte*. Com efeito, o retrato que fazeis de vós mesma corresponde exatamente comigo como eu era naquele tempo. Portanto, tende coragem e não vos desanimeis, pois se conhecêsseis o meu antigo ambiente talvez vos sentísseis com menos dificuldade a vencer. A vossa carta comoveu-me profundamente, muito mais do que outras, pois descreve tão claramente o que fui, e posso afirmar que é absolutamente verdade que *podeis* fazer com que a vossa vida exterior seja o *que quiserdes* — isso *sem* muito tempo e concentração, e vou mostrar-vos clara e francamente como.

"É, pois, puramente científica a afirmação que *das imaginações do coração surgem as saídas da vida*, de modo que, embora seja contrário à vossa razão, nunca imagineis condições indesejáveis, nem penseis nem faleis nelas, sendo esse o *primeiro passo para a realização;* pelo contrário, começai agora mesmo a ver *vivamente* os vossos desejos de melhor ambiente e trabalho mais agradável *já realizados*. Como o impulso de vida que age sobre a consciência como desejo, *é sempre* um impulso, *deve,* em consequência disso, ser realizado.

"Jesus expressou-se com precisão científica, quando disse: 'Credes que recebestes'.

"Quando descobri, em pequenas coisas, que tinha provas de uma grande Lei, pus-me deliberadamente a trabalhar para ver se a Lei podia trazer-me tudo o que pedisse, sem auxílio de meus esforços pessoais ou do meu trabalho. Sob todas as aparências, não tinha um lar, nem os meios para obtê-lo; por isso, disse comigo mesma: 'Esta é a minha gloriosa oportunidade para ter uma prova' e, primeiramente, dei graças por isso, e passei a me ver vivamente em meu lar, sentada à minha secretária, caminhando pelos cômodos e, para servir de *investigação e prova científica* sobre a realização *detalhada* de todo o quadro mental que fiz, vi-me a entrar alegremente no meu automóvel. Esse ato de colocar-me imediatamente no ambiente real desejado é a aceitação ou fé ativa. 'A fé sem obras é morta' bem sabeis; uma fé passiva nada produz.

"Nunca me preocupei sobre o *modo* pelo qual tudo isso me viria, pois era coisa que não me competia, sendo o meu objetivo provar o poder do Espírito, conforme Malaquias, 3:10. Se plantarmos uma semente na terra, sabemos que o sol brilhará e a chuva virá, deixamos à Lei a produção dos resultados. Não vemos o processo da natureza, não é verdade? Pois bem, o desejo, cuja imagem formais, é a semente, os momentos em que fechais os olhos para ver internamente a imagem são como o sol e a vossa constante expectativa, sem ansiedade, são a chuva e a cultura necessárias para produzir *resultados absolutamente certos*, visto que são apoiados na Lei.

"Sem dúvida, o ideal é o primeiro requisito para o que se quer conseguir. Tinha-me limitado tanto, que, a princípio, me parecia que a própria tentativa de formar um ideal superior ao que tinha realizado era querer lutar contra uma grande força; por isso, não fiz mais do que me exercitar na formação de ideais até poder formar a mente facilmente o mais alto que me foi possível conceber, sentindo assim que havia rompido os laços que me prendiam a condições limitadas. É preferível, a princípio, tomar uma coisa por vez, e não compreender coisa maior do que aquela em que puderdes aplicar a vossa fé atual.

"Pois bem, querida senhora, em menos de um ano, tudo o que imaginei e muita coisa mais — como que uma graça acrescentada por ter confiado *inteiramente* no espírito em relação ao que Jesus me dissera que *era meu* — se apresentaram na minha vida, e, muito maior do que a posse, foi a alegria de ter provado para mim e para outros que o que precisamos fazer para conseguir todos os bens é estudar ativa e fielmente e, em seguida, *praticar* os ensinos do nosso maior cientista, Jesus de Nazaré".

Vedes, por este exemplo, que aquela senhora alcançou, por meio do pedido silencioso, *tudo* o que lhe era necessário para sua felicidade e alegria.

Cada ente humano, sendo uma criação *diferente* do Supremo Espírito, para ser perfeitamente feliz, precisa de coisas diferentes das que são necessárias às outras pessoas e só poderá recebê-las diretamente do Criador.

Não há, pois, motivo para invejardes a felicidade dos outros e, em vez de desperdiçardes vosso tempo nisso, pedi ao Espírito que vos dê a vossa parte de felicidade. Concorreis para isso, desejando a maior felicidade a todos e enviando-lhes vossos pensamentos de Harmonia, Amor, Verdade e Justiça, e na proporção das boas vibrações que enviardes será a felicidade que recebereis.

CAPÍTULO XI

# Assuntos Financeiros

O Senhor é meu Pastor, nada me faltará.
*Salmo, 23:1*

A bênção do Senhor dá a riqueza e não a faz seguir de sofrimento.
*Provérbios, 10:22*

Perdoa-nos nossas dívidas, assim como nós também temos perdoado aos nossos devedores.
*Mateus, 6:12*

O homem vem a este mundo financiado por Deus, tendo o que deseja ou de que necessita já preparado para o seu uso. Esse suprimento se manifesta por meio da fé da *Palavra Expressa*.

"Se credes tudo é possível", disse Jesus.

Assim refere uma professora de esoterismo:

"Uma senhora dirigiu-se a mim, em certa ocasião, para relatar-me o resultado de uma afirmação que lhe ensinara. Não tinha trabalhado no teatro e desejara uma boa posição numa companhia teatral. Dei-lhe a seguinte afirmação: 'Espírito Infinito, abri o caminho para a minha grande abundância. Sou um ímã irresistível para tudo o que me pertence por Direito Divino'.

"Referiu-me, na segunda vez que me visitou, que recebera um papel importante numa ópera muito aplaudida. Disse-me: 'Foi um verdadeiro milagre, produzido pela afirmação que me destes e que fiz centenas de vezes'".

A atitude espiritual com o dinheiro é a da convicção que Deus é *o vosso suprimento,* e que o atraís da abundância das esferas superiores, por meio de vossa fé e de vossa palavra falada.

Quando vos compenetrardes disto, perdereis todo apego ao dinheiro, vencendo o medo de despendê-lo se for necessário.

Com a bolsa mágica no Espírito, o vosso suprimento *é ilimitado e imediato,* e também tereis a compreensão de que o *dar* deve preceder o *receber.*

Uma esoterista americana narra o seguinte:

"Certa pessoa se dirigiu a mim, pedindo-me que expressasse a afirmação que receberia quinhentos dólares até 5 de agosto. (Estávamos a 1º de julho.)

"Eu a conhecia muito bem, e disse-lhe: 'Vosso mal está em que não *dais o suficiente.* É preciso abrirdes vossos canais de suprimento pelo *dar'.*

"Recebeu um convite para visitar uma amiga, porém não queria ir por causa das formalidades e despesas. Pediu-me: 'Faça o favor de me tratar para me mostrar educada durante três semanas, pois desejo retirar-me o mais breve possível, e não vos esqueçais de afirmar que receberei os quinhentos dólares'.

"Ela foi para a casa da amiga, teve muitos aborrecimentos e desassossegos, procurando continuamente se retirar porém sempre era persuadida a permanecer mais tempo.

"Entretanto, lembrou-se do meu conselho e deu presentes às pessoas que a rodeavam. Sempre que podia, fazia um pequeno presente.

"Aproximava-se o 1º de agosto e não havia sinais dos quinhentos dólares, nem meios para terminar a visita. No último dia de julho, exclamou: 'Meu Deus! Talvez não tenha dado o suficiente!' Assim proporcionou aos criados mais gorjetas do que pretendia fazer.

"No dia 1º de agosto, a amiga em cuja casa estava hospedada lhe disse: 'Querida, quero fazer-vos um presente'. E apresentou-lhe um cheque de quinhentos dólares".

Vedes, por este exemplo, que Deus opera maravilhas de um modo inesperado.

Quando fizerdes vosso pedido, deveis manter a atividade mental de que *já recebestes* e, na medida do possível, *agir* como se já estivésseis *aplicando* a quantia recebida.

*É absolutamente indispensável que não penseis de que modo Deus vos enviará a quantia pedida.*

Muitos fazem seus pedidos e põem-se a "procurar" o caminho pelo qual hão de vir, resultando disso uma grande demora ou a vinda por um "caminho errado". Os resultados obtidos por essa forma nunca são realmente satisfatórios e, cedo ou tarde, têm consequências desagradáveis.

Outros há que fazem seus pedidos e, em seguida, adquirem um bilhete de loteria, julgando que assim *ficará mais fácil* para Deus dar-lhes a quantia que desejam. Isso, porém, é uma *armadilha* do subconsciente, porque, a não ser que haja uma *intuição positiva para fazê-lo*, não deveis comprar bilhetes, mas sim esperar que vos seja revelado o que *deveis* fazer para realizar o vosso pedido. Com efeito, se tiverdes de *fazer* alguma coisa e *esperardes* calmamente o resultado de vossos pedidos, tereis um *aviso* intuitivo do que vos compete fazer.

Não vos esqueçais de que "a fé sem obras é morta" e, portanto, à medida que fordes recebendo, ireis aplicando e 'satisfazendo vossos compromissos, *não guardando para amanhã*, mas sim despendendo o dinheiro para a convicção de que *amanhã virá mais ainda*. Assim provareis a vossa fé pelas vossas obras, *dando* o que tendes para *receberdes* o que pedistes.

Se tiverdes dívidas ou, pelo contrário, alguém vos deve, é porque na vossa mente subconsciente se acha gravada a crença na dívida.

Para que as condições mudem, é preciso que neutralizeis essa crença.

Refere uma professora de metafísica:

"Uma senhora se dirigiu a mim dizendo que fazia alguns anos que um homem lhe devia mil dólares, porém não podia obrigá-lo a pagar.

"Respondi-lhe: 'Deveis agir sobre vós mesma e não sobre ele' — e dei-lhe a afirmação seguinte: 'Nego a dívida, pois não há dívida na Mente Divina; ninguém me deve nada; todas as contas estão balanceadas. Envio amor e perdão àquele homem'.

"Dentro de poucas semanas recebeu uma carta do mesmo homem, na qual dizia que estava para mandar o dinheiro, e quase um mês depois chegaram os mil dólares".

Com relação a prejuízos, também pode-se dizer que eles resultam de estar gravada no subconsciente a ideia ou o temor de perder.

À proporção que apagardes essa impressão, recuperareis o prejuízo que tivestes, quer pelo pagamento feito pela própria pessoa, quer por uma compensação equivalente.

Uma senhora perdeu uma lapiseira de prata num teatro. Fez todos os esforços para encontrá-la, porém não foi possível. Por fim, negou a perda, seguindo a afirmação:

"Nego a perda; não há perda na Mente Divina; por isso não posso perder a lapiseira. Receberei a mesma ou uma equivalente".

Passaram-se algumas semanas. Certo dia encontrou-se com uma amiga que trazia, pendurada ao pescoço, por uma corrente, uma bela lapiseira de ouro e lhe disse: "Quereis esta lapiseira? Paguei cinquenta dólares por ela na loja de Tiffany".

A senhora ficou espantada e respondeu (quase que esquecendo de agradecer): "Oh, meu Deus, quanto sois admirável! A lapiseira de prata era pouco para mim!"

Só podeis perder aquilo que não vos pertence por Direito Divino ou designação de Deus ou que não é suficientemente bom para vós.

Por conseguinte, quando os negócios vos derem algum prejuízo, deveis reconhecer que aquilo não era vosso ou que Deus vai dar-vos outra coisa melhor. Assim, pois, não deveis revoltar-vos contra a pessoa que vos deu o prejuízo, mas sim abençoá-la, porque vos deu oportunidade para um proveito maior.

As vossas ideias sobre as finanças e os negócios têm grande importância para a vossa prosperidade, e o modo por que tratastes os outros se refletirá em vosso subconsciente, produzindo efeitos semelhantes.

Abençoando e desejando prosperidade a quem vos deve, praticais a grande lei da não resistência e auxiliais a pessoa a resolver os negócios e poder pagar-vos, o que não deixará de fazer, em consequência do sentimento de que sois um *amigo*, tanto material como espiritualmente.

Numerosos exemplos foram citados no decorrer deste livro para provar-vos que se tratam de *leis* que agem e produzem resultados práticos.

Não pretendo que este seja um meio de *prosperar sem trabalho*, mas, pelo contrário, vereis que é preciso um trabalho árduo para manterdes a vossa fé e vos habituardes a observar as leis, pois, por mais simples que elas sejam, no vosso estado atual não vos será fácil compreendê-las.

A base para a boa solução dos problemas financeiros se acha na aplicação do princípio que, em todas as coisas nas quais a razão humana estiver do vosso lado, deveis inverter os papéis e, em lugar de vos queixar de vosso adversário, *abençoá-lo*. Assim procedendo, estabelecereis a influência iluminadora do Amor, fareis aparecer a Verdade e a Justiça da situação em que estiverdes envolvidos.

CAPÍTULO XII

# Afirmações e Negações

Determinarás uma coisa e ela sucederá.

Jó, 22:28

Todo bem que deve manifestar-se em vossa existência já é um fato realizado na Mente Divina, e se expressará pelo vosso reconhecimento ou pela vossa palavra afirmativa, de modo que deveis ter o cuidado de afirmar ou determinar que se manifeste apenas a Ideia Divina, pois, muitas vezes, por vossas "palavras ociosas", determinais a vinda do insucesso e da infelicidade.

Por conseguinte, é de máxima importância que expresseis em palavras corretas o vosso pedido, como já vos tenho dito outras vezes.

Se desejardes ter um lar, amigos, posição ou qualquer outra coisa, pedi, antes de tudo, que Deus vos mande o que "escolheu para vós", pois Ele não pode errar na sua escolha. Afirmai, por exemplo: "Espírito Infinito, abri o caminho para vir a casa que determinastes para mim, a amizade sincera que me destinastes, a minha posição justa. Agradeço-vos por vos manifestardes pela graça e de um modo perfeito em meu benefício".

A parte final do pedido é muito importante, porque, sem ela, podereis obter o que desejais, porém em circunstâncias desagradáveis.

À proporção que vossa consciência financeira se desenvolver, deveis pedir que a grande soma de dinheiro que vos pertence, por direito divino, vos venha pela graça e de um modo perfeito.

É impossível atrairdes mais do que pensais que podeis fazer, porque sempre sois limitados pela expectativa de vosso subconsciente. Para receberdes mais, é preciso que vossas expectativas sejam maiores.

Muitas vezes vos limitais a vós mesmos pelo modo de fazerdes o pedido, como podeis ver por este exemplo:

Um estudante de ocultismo pediu seiscentos dólares para certa data. Recebeu-os; porém, depois ouviu dizer que quase chegara a receber mil, tendo recebido exatamente os seiscentos em vista de ser esse o seu pedido exato.

Diz a Bíblia: "Limitaram o Santo de Israel".

A riqueza é questão de consciência. Os franceses possuem uma lenda que serve de ilustração para isso.

Seguia um pobre por uma estrada, quando encontrou um viajante que lhe disse: "Meu amigo, vejo que sois pobre. Tomai esta barra de ouro, vendei-a e ficareis rico pelo resto de vossos dias". O homem alegrou-se muito com a sua sorte e levou a barra de ouro para casa. Imediatamente encontrou trabalho e fez tanto progresso que não quis mais vendê-la. Passaram-se os anos e tornou-se extremamente rico.

Certo dia, encontrou um pobre na estrada e disse-lhe: "Meu amigo, dar-vos-ei uma barra de ouro, que, se a venderdes, vos fará rico por toda a vida". O mendigo recebeu aquela barra, levou-a ao ourives e veio a saber que aquilo era apenas latão.

Vedes, portanto, que o primeiro se enriqueceu pelo seu sentimento de riqueza, ao pensar que aquela barra era de ouro.

Cada um de vós tem dentro de si uma barra de ouro: é a sua consciência do ouro ou da opulência, que lhe traz a riqueza na vida. Ao fazerdes o vosso pedido, deveis começar pelo fim, afirmando que já recebestes, pois Deus disse: "Antes de me chamardes vos responderei". Uma afirmativa contínua é a melhor maneira de estabelecerdes a fé no vosso subconsciente.

Se tivésseis uma fé perfeita, não haveria necessidade de fazerdes mais que uma afirmação! Não é preciso chorar, nem implorar humildemente o que desejais receber, mas sim dar graças repetidas vezes como se já tivésseis recebido.

"O deserto se regozijará e florescerá como a rosa", diz a Bíblia. Esse regozijo, quando ainda vos encontrardes no deserto (estado de consciência), abrirá o caminho para a realização.

Jesus deu ao "Pai-Nosso" a forma de ordem e pedido firme. "Dai-nos hoje o pão nosso de cada dia, e perdoai-nos as nossas dívidas assim como perdoamos aos nossos devedores" — terminando em louvores — "Pois a Vós pertencem o Reino, o Poder e a Glória, por toda a eternidade. Amém".

Disse ainda o Senhor: "Sobre as obras de Minhas mãos, ordena-Me tu". Assim, pois, a prece é uma ordem e pedido, louvor e agradecimento.

O trabalho do estudante de ocultismo está em discutir em si mesmo a crença de que, estando "com Deus, todas as coisas lhe são possíveis".

É fácil explicar isso teoricamente, porém é mais difícil praticá-lo quando se tem um problema a resolver. O exemplo do seguinte caso serve de ilustração:

Uma senhora precisava estar de posse de uma grande quantia numa data determinada. Ela sabia que era necessário fazer *alguma* coisa para chegar à realização, pois esta é a manifestação do pedido, porém ignorava o passo que devia dar e pediu uma diretriz ou orientação. Entretanto, numa seção de lojas reunidas, avistou um abridor de cartas, esmaltado e de cor vermelha. Sentiu-se impelida para ele. Teve o pensamento de que *não tinha um abridor conveniente para abrir cartas contendo cheques de grande valor*. Comprou, pois, o abridor, coisa que, para o seu raciocínio, pareceu uma extravagância. Ao receber o objeto teve uma visão de que estava abrindo um envelope que continha um cheque de grande valor, e passadas algumas semanas, recebeu de fato o dinheiro de que precisava.

Contam-se numerosos fatos do poder do subconsciente quando dirigido pela fé.

Um homem passava uma noite numa casa de campo. As janelas do quarto haviam sido pregadas e, no meio da noite, sentindo-se sufocado, levantou no escuro e dirigiu-se para a janela. Como não pudesse abri-la, deu-lhe um murro para arrebentar a folha, aspirou o ar fresco e foi deitar-se, dormindo um sono reparador.

Todavia, grande foi o seu espanto, no dia seguinte, ao verificar que tinha quebrado o vidro de uma estante, e que a janela estava intacta e permanecera fechada durante a noite toda. Abastecera-se de oxigênio, simplesmente ao pensar que o estava recebendo.

Nunca deveis desistir de pedir aquilo de que precisais e seja justo, não pondo em dúvida a sua realização. Como diz São Tiago: "Aquele que duvida é semelhante à vaga do mar, que o vento subleva e agita. Não cuide esse tal que alcançará do Senhor alguma coisa".

Um estudante de ocultismo explicou do modo seguinte como é que fazia seus pedidos:

Quando peço alguma coisa a meu Pai, concentro-me e digo: "Meu Pai, não aceitarei menos do que pedi, mais sim, mais!"

Quando tiverdes feito tudo para a realização de vosso pedido, não deveis transigir. Essa é, às vezes, a ocasião mais difícil de realizardes, porque vos virá a tentação de abandonardes, desviar-vos e transigirdes.

"Também serve ao Senhor aquele que persiste e espera".

Muitas vezes, os resultados se apresentam à última hora, porque, nessa ocasião, abandonais o vosso raciocínio ou deixais de raciocinar, e assim a Inteligência Infinita tem oportunidade para agir.

Assim também os vossos desejos tristes são respondidos com tristeza e os vossos desejos impacientes sofrem grande atraso ou são respondidos violentamente.

Certa vez, uma senhora me perguntou por que é que, constantemente, perdia ou quebrava os óculos. Examinando as coisas, verificamos que, a cada momento, ela dizia aos outros ou a si mesma: "Desejava poder ver-me livre de meus óculos". Assim, os seus desejos impacientes se realizaram. O que ela devia pedir era uma vista perfeita; porém, o que gravava no subconsciente era apenas o desejo impaciente de ficar livre dos óculos; por isso, continuadamente os quebrava ou perdia.

Duas atitudes mentais são causas de prejuízos: *o menosprezo*, como no caso de uma senhora que não dava valor ao seu esposo, e o *medo de perder*, que produz uma impressão de perda no subconsciente.

Quando fordes capazes de não vos preocupardes com o vosso problema, isto é, quando souberdes descarregar vosso fardo, obtereis a realização instantânea de vosso pedido.

Sucedeu a certa senhora sair num dia muito tempestuoso, e seu guarda-chuva ficar despedaçado. Pretendia falar com pessoas com as quais nunca estivera em contato e não desejava aparecer-lhes, pela primeira vez, com aquele guarda-chuva roto. Não podia jogá-lo fora, porque não era dela. Assim, desesperada, exclamou: "Meu Deus, cuidai deste guarda-chuva, porque não sei o que hei de fazer!"

Um momento depois, uma voz lhe perguntou: "Senhora, quer que lhe conserte o seu guarda-chuva?"

Era um guarda-chuveiro que por ali passava. Ela respondeu-lhe: "Com efeito, é do que preciso".

Deixou o guarda-chuva para ser consertado enquanto fazia outro serviço e ao voltar teve novamente um bom guarda-chuva.

Assim, também no vosso caminho, sempre encontrareis um guarda-chuveiro, quando colocardes vosso guarda-chuva ou vossa situação aos cuidados de Deus.

Tudo requer ordem, método e boa orientação, porém os trabalhos esotéricos o exigem em maior grau pela delicadeza e alto potencial das forças que entram em jogo. Por isso, deveis dar grande atenção a que as vossas afirmações e concentrações sejam feitas regularmente, de acordo com um plano estabelecido.

Quando fizerdes a negação de qualquer coisa ou pensamento que vos esteja perturbando, deveis, em seguida, fazer sempre uma afirmação da coisa contrária.

Como exemplo, vos citarei um fato relatado por uma professora de metafísica:

"Certa ocasião fui chamada alta noite, pelo telefone, para tratar de um homem a quem nunca vira. Aparentemente se achava muito mal. Fiz a afirmação: 'Nego essa aparência de moléstia. É irreal e, portanto, não pode registrar-se na consciência dele; este homem é uma ideia perfeita na Mente Divina, uma substância pura, que expressa a perfeição'".

Como vedes, essas palavras negam o estado aparente do indivíduo, e afirmam seu estado real ou interno. Feitas com essa clareza, deram resultado imediato, pois, na manhã seguinte, o doente estava muito melhor e, passado um dia, voltou para o trabalho.

Na Mente Divina não existe tempo ou espaço e, portanto, as palavras alcançam instantaneamente seu destino e *não voltam vazias*, como se diz em estilo bíblico.

Muitas vezes tereis ouvido empregar as expressões *visualizar e ter visões*, e é útil conhecerdes a diferença que há entre elas.

A visualização é um processo mental governado pela mente racional ou consciente; a visão é um processo espiritual governado pela intuição ou a mente superconsciente.

Deveis treinar vossa mente para receber essas fagulhas de inspiração, porque elas exprimem os mais altos desígnios de Deus para conosco. É necessário vos habituardes a executar "esses quadros divinos" por meio de direções definidas ao vosso subconsciente.

Quando puderdes dizer sinceramente em vosso coração: "Desejo apenas o que Deus deseja de mim", os falsos desejos desaparecerão de vossa consciência, e recebereis uma nova série de estampas azuis enviadas pelo Mestre Arquiteto, o Deus íntimo, com as quais ornamentareis vossa existência.

O plano de Deus para cada um de vós transcende a limitação de vossa mente racional, elevando vossa vida ao mais alto potencial de saúde, riqueza, amor e expressão perfeita.

A visualização desempenha um papel importante na correção e orientação de vossas tendências mentais, permitindo-vos a construção de um canal mental para entrardes em contato com o plano divino, e, desde então, a visão ou intuição deve dirigir vossos passos, pois, como dizem os textos sagrados: "Descansa no Senhor e espera com paciência. Confia n'Ele e fará passar".

Certamente, um dia, alcançareis um estado de desenvolvimento em que vossa "palavra se fará carne" ou se materializará instantaneamente. Ao vosso mando, as "searas como colheita madura" se manifestarão imediatamente, como em todos os milagres de Jesus.

Há um poder tremendo no nome de *Jesus Cristo*, pois representa a *Verdade Manifestada*.

Muitas curas foram feitas com o emprego da palavra: *"Em nome de Jesus Cristo"*.

Cristo foi tanto pessoa como princípio; e o Cristo que está dentro de vós é vosso Redentor e Salvador.

O vosso Cristo interno é o vosso Eu Real, feito à imagem e semelhança de Deus. Esse é o vosso Eu que nunca falhou, nunca conheceu a moléstia ou sofrimento, nunca nasceu e nunca morrerá. É a vossa *ressurreição e vida!*

Quando Jesus disse que "ninguém vai ao Pai senão pelo Filho", queria dizer que Deus, o Universal, agindo no plano particular, se torna o Cristo em cada um de vós; o Espírito Santo é Deus em atividade. Assim é que manifestais diariamente a Trindade — Pai, Filho e Espírito Santo — nos vossos atos, embora não o façais conscientemente.

Deveis fazer de vosso pensamento uma arte. O Mestre Pensador é um artista e tem o cuidado de pintar no quadro de sua mente apenas figuras divinas, desenhando-as com traços magistrais de energia e decisão, tendo fé perfeita em que não há poder capaz de obscurecer-lhe a perfeição, e que se manifestarão em sua vida, realizando o ideal.

Todo poder vos é dado para, pelo vosso reto pensar, trazerdes o céu à terra, sendo esse o objeto do "jogo da vida".

As suas simples regras são: fé inquebrantável, não resistência e amor!

Com estas três palavras gravadas em vossos corações, tomareis o estandarte da Harmonia, do Amor, da Verdade e da Justiça, e sentindo-vos livres daquilo que vos manteve em limitação durante séculos colocando-se entre vós e o que vos pertence, realizareis plenamente o vosso destino e manifestareis o Divino Desígnio de vossa existência pela saúde, a abundância e a perfeita expressão de vós mesmos.

Tereis, assim, cumprido este preceito divino: "Sereis transformados pela renovação de vossas mentes".

# Modelos para Afirmações

Apresento, em seguida, algumas fórmulas para servirem de modelo às vossas afirmações.

Deveis escolher um modelo que esteja mais de acordo com o ideal que pretendeis realizar e modificá-lo de modo a expressar com a maior clareza possível as vossas aspirações.

### ACORDOS E CONTRATOS

*Acho-me identificado em amor com o Espírito desta pessoa. Deus protege meus interesses e a Ideia Divina surge agora da situação atual.*

### AMIZADES

*Todo homem é um elo áureo na corrente da minha prosperidade.*

*Acho-me identificado em amor com o Espírito daqueles com quem convivo. O Espírito Uno defende os nossos interesses comuns.*

### AMOR E PERDÃO

*Expresso o meu amor e perdão pelos meus pensamentos, palavras e atos, e abençoo a todos os que me causaram sofrimentos.*

*Abençoados sejam os que, pelo sofrimento, me ensinaram a amar desinteressadamente os meus semelhantes.*

## ARRENDAMENTO

*Dou graças a Deus por esta casa (ou cômodo) estar alugada para a pessoa conveniente, pelo preço justo e com satisfação para ambas as partes.*

## CALMA

*As ideias divinas nunca entram em conflito.*

*As aparências contrárias agem para o meu proveito, pois Deus se serve de todas as pessoas e situações para realizar os desejos do meu coração.*

*O "atraso é amigo" e os obstáculos são propulsores para subir mais alto.*

༺༻

*Toda limitação é uma ilusão da consciência comum. Sempre há uma saída de toda situação pela graça de Deus. Sou livre para executar a vontade de Deus.*

## COLOCAÇÃO

*Eu sou uma ideia perfeita na Mente Divina e acho-me sempre no lugar que me compete, trabalhando perfeitamente e ganhando o que é justo.*

༺༻

*Eis que coloquei diante de ti a porta aberta do destino e ninguém pode fechá-la, pois está pregada por trás!*

## DEFESA CONTRA CORRENTES PSÍQUICAS

*Sou rodeado pela Luz Branca do Cristo, através da qual nada negativo pode penetrar.*

## DESAPEGO

*Desapego-me de tudo o que não for divinamente designado para mim e, neste momento, se realizará o plano perfeito de minha vida.*

※

*Não quero o que não é meu por direito divino e só recebo aquilo que me vem pela graça de Deus para meu benefício.*

## DESASSOSSEGO

*Transfiro para o meu Cristo interno este fardo de desassossego e sigo livremente o meu caminho.*

## DESÍGNIO DIVINO

*O Divino Desígnio de minha vida se realiza agora. Ocupo o lugar que me compete e que ninguém mais pode ocupar. Executo agora as coisas que posso efetuar e ninguém mais pode fazer.*

※

*Todas as portas se abrem para surpresas agradáveis e o Plano Divino da minha vida se realiza rapidamente pela graça.*

*Vejo agora claramente o plano perfeito da minha vida. O entusiasmo divino me anima e cumpro agora o meu destino supremo!*

*Sou um perfeito instrumento não resistente para Deus agir e Seu plano perfeito para eu executar se manifesta agora de um modo maravilhoso.*

Minha mente, meu corpo e meus negócios são agora modelados de acordo com a divina imagem interna.
Todo plano que não é feito pelo meu Pai celeste é dissolvido e apagado, e o Divino Desígnio de minha vida se realiza agora.

## DINHEIRO

Abençoo estes... reais e sei que possuo a bolsa mágica do Espírito; ela nunca ficará vazia; à proporção que dinheiro sai, dinheiro entra.

⊙⊙⊙ ⊙⊙⊙

Vejo a minha bolsa sempre "recheada" de cheques e de muito dinheiro.

⊙⊙⊙ ⊙⊙⊙

Atraio agora da Substância Universal, com irresistível poder e determinação, aquilo que é meu por direito divino.

## DIREÇÃO INTUITIVA

Revelai-me o caminho e fazei-me ver claramente a bênção que me concedestes.
EU SEI o que devo fazer e vou executá-lo imediatamente sob a direção do meu Cristo interno.

⊙⊙⊙ ⊙⊙⊙

Sempre me encontro sob a inspiração direta. Sei exatamente o que devo fazer e obedeço imediatamente à minha direção intuitiva.

## DÍVIDAS

Nego a dívida; não há dívida na Mente Divina; ninguém me deve, tudo está saldado. Envio vibrações de amor e perdão a todos.

⁂

Nego a dívida; não há dívida na Mente Divina; portanto, nada devo. Todos os meus compromissos são apagados agora, pela graça e de um modo milagroso.

## ERROS

Apelo para a lei do perdão. Estou livre de erros e suas conseqüências. Acho-me sob a graça e não sob a lei cármica.

## MEMÓRIA

Não há perda de memória na Mente Divina; portanto, recordo-me de tudo que devo lembrar-me e esqueço-me de tudo o que não é para benefício meu.

## PESADAS RESPONSABILIDADES

Coloco toda a minha carga sobre o Cristo interno e sigo livre e desafogadamente o meu caminho.

⁂

Meu Cristo interno, entrego-vos a carga de minha responsabilidade e prossigo, aliviado, o meu caminho.

⁂

*Não resisto a esta situação. Coloco-a nas mãos do Infinito Amor e Sabedoria.* QUE A IDEIA DIVINA SE REALIZE AGORA!

## PREJUÍZOS

*Não há prejuízos na Mente Divina; portanto, não posso perder coisa alguma que justamente me pertença.*

*Por isso, o que é meu ser-me-á restituído ou receberei seu equivalente.*

⁂

*O que é meu por Direito Divino nunca me pode ser tirado. O plano perfeito de Deus para mim se apóia numa rocha inabalável.*

## PROSPERIDADE

*Tudo o que é meu por Direito Divino me é encaminhado agora e me chega com grandes avalanches de abundância, pela graça e de um modo milagroso...*

⁂

*Surpresas felizes me sucedem diariamente. "Vejo com admiração o que se acha na minha frente".*

⁂

*Deus opera suas maravilhas em lugares inesperados, por meio de pessoas estranhas e em ocasiões imprevistas.*

## SAÚDE

*Sou um ente espiritual; meu corpo é perfeito e formado à imagem e semelhança de Deus.*

※※

*A luz do Cristo interno irradia-se sobre todas as minhas células, vitalizando-as. Dou graças a Deus pela minha irradiante saúde.*

## VENDAS

*Dou graças a Deus por esta mercadoria (ou propriedade) ser agora vendida para a pessoa conveniente e pelo preço justo, havendo perfeita satisfação de ambas as partes.*

## VIAGEM

*Dou graças a Deus pela viagem divinamente planejada, em condições divinamente escolhidas e financiada pelo suprimento divinamente fornecido.*

# GRUPO EDITORIAL PENSAMENTO

O Grupo Editorial Pensamento é formado por quatro selos:
Pensamento, Cultrix, Seoman e Jangada.

Para saber mais sobre os títulos e autores do Grupo
visite o site: www.grupopensamento.com.br

Acompanhe também nossas redes sociais e fique por dentro dos próximos
lançamentos, conteúdos exclusivos, eventos, promoções e sorteios.

**f** / **◉**   editoracultrix
editorajangada
editoraseoman
grupoeditorialpensamento

Em caso de dúvidas, estamos prontos para ajudar:
atendimento@grupopensamento.com.br

Pensamento   Cultrix   SEOMAN   JANGADA
GRUPO EDITORIAL PENSAMENTO